EUSÈBE DE CÉSARÉE
COMMENTATEUR

DU MÊME AUTEUR

Pindare et Platon (Bibliothèque des Archives de philosophie), 1949, Beauchesne, Paris.

Klincksieck, Paris :
Syngeneia. La parenté de l'homme avec Dieu d'Homère à la patristique, 1964.

Aux Belles Lettres, Paris (Coll. des Univ. de France) :
Platon, *Œuvres complètes*, t. XI, *Lois* I-VI, 1951 ; XII, 2ᵉ partie, *Epinomis*, 1956 ; XIV, *Lexique de la langue philosophique et religieuse de Platon*, 1964.

Jamblique, *Les mystères d'Égypte*, 1966.
Oracles chaldaïques, avec un choix de commentaires anciens, 1971.
Numénius, *Fragments*, 1973.
Atticus, *Fragments*, 1977.

Aux éditions du Cerf (Coll. Sources chrétiennes) :
Diadoque de Photicé, *Cent chapitres sur la perfection spirituelle. Vision. Sermon sur l'Ascension de N.S.J.C.*, 1943, 1955², 1966³ (N° 5). Eusèbe de Césarée, *La préparation évangélique*, II-III, 1976 (N° 228) ; V, 18-VI, 1980 (N° 266).

Aux éditions A. et J. Picard :
La religion grecque. Dieux, cultes, rites et sentiment religieux dans la Grèce antique, 1969.

Aux éditions Celuc, Milan :
Platonismo e tradizione cristiana, a cura di Pier Angelo Carozzi, 1976.

Aux éditions E.J. Brill, Leyde :
Études platoniciennes 1929-1979, 1981.

THÉOLOGIE HISTORIQUE

COLLECTION FONDÉE PAR JEAN DANIÉLOU
DIRIGÉE PAR CHARLES KANNENGIESSER

63

EUSÈBE DE CÉSARÉE COMMENTATEUR

PLATONISME ET ÉCRITURE SAINTE

par

ÉDOUARD des PLACES

BEAUCHESNE

PARIS

Publié avec le concours
du Centre National de la Recherche Scientifique

Pour tous renseignements concernant nos publications
s'adresser au service documentation
BEAUCHESNE ÉDITEUR - 72, rue des Saints-Pères, 75007 PARIS

ISBN 2-7010-1033-0

TABLE DES MATIÈRES

AVANT-PROPOS

Eusèbe de Césarée intéresse au premier chef les historiens, ceux surtout des origines chrétiennes et de l'Empire romain sous Constantin ; A. Piganiol, J.-R. Palanque, H. Marrou — pour me borner à la France et au dernier demi-siècle — rencontrent à chaque pas la *Chronique*, l'*Histoire ecclésiastique*, la *Vie* et l'*Éloge* de Constantin [1]. Mais Eusèbe est historien dans toutes ses œuvres, et une thèse comme celle de J. Sirinelli fait plus encore appel à l'apologie que constituent la *Préparation* et la *Démonstration évangéliques* [2].

Il est aussi, et partout, commentateur, aussi bien de textes profanes que de l'Écriture. Voici plus de trente ans, l'édition des *Lois* de Platon nous obligeaient, Mgr Diès et moi, à collationner ses nombreuses citations du dialogue ; non seulement elles présentaient parfois le meilleur texte, mais le contexte montrait Eusèbe à la fois admirateur et critique de la philosophie grecque ; si Platon a la part du lion et occupe matériellement la première place, Plotin et surtout Porphyre fournissent de larges extraits ; d'autres, comme Numénius, Atticus, Aristoclès, Oenomaüs remplissent des dizaines de pages qu''Eusèbe est seul à nous faire

---

1. Piganiol, *L'empereur Constantin*, Paris, 1932 ; *L'empire chrétien (325-395)*, in *Histoire générale dirigée par G. Glotz, Histoire romaine*, IV. 2, Paris, 1947, pp. 25-72. J.-R. Palanque, *Constantin*, dans *Hommes d'État*, I, Paris, 1936, pp. 340-426 ; *L'empire chrétien*, in *Histoire de l'Église* publiée sous la direction de A. Fliche et V. Martin, III, Paris, 1937, pp. 17-39, 58-65, et passim ; «Constantin le Grand», in *Dict. d'Hist. et de Géogr. eccl.*, 13, 1956, pp. 593-608. H. Marrou, *Nouvelle histoire de l'Église*, I, Paris, 1963, pp. 282 sv. Plus récemment : P. Petit, *Histoire générale de l'empire romain*, Paris, 1974, pp. 559-598 : «Constantin et son temps (305-337)».

2. J. Sirinelli, *Les vues historiques d'Eusèbe de Césarée durant la période prénicéenne*, Dakar, 1961.

connaître. De même pour la plupart des fragments du judaïsme
hellénistique, en prose et parfois en vers, qu'il a tirés, au livre IX
de la *Préparation évangélique,* d'Alexandre Polyhistor. C'est
beaucoup grâce à lui que les *Placita philosophorum* attribués à
Plutarque peuvent aider à reconstituer l'*Histoire de la philosophie* du mystérieux Aétius[3]. Diodore de Sicile forme deux
chapitres de la *PE* (II, 1-2). Parmi les traités de Philon
d'Alexandrie, le *De providentia* et les *Hypothetica* doivent à
Eusèbe les quelques fragments conservés en grec.

Alexandrie était pour lui une patrie spirituelle ; la bibliothèque
de Césarée était née par les soins d'Origène et de Pamphile ; et il
comptait parmi ses sources principales le *Protreptique* et les
Stromates de Clément ; entre Clément et Théodoret de Cyr, qui
puise le plus souvent chez Clément par l'intermédiaire d'Eusèbe,
celui-ci fait le lien[4]. Il révère également un évêque d'Alexandrie,
Denys, dont il nous a gardé en partie un *De natura.* Beaucoup de
ses citations de l'Écriture proviennent des passages qu'il extrait
de Clément d'Alexandrie, d'Origène et de Denys.

Les citations scripturaires, déjà nombreuses, que contiennent
la *Préparation* et la *Démonstration* ne représentent qu'une part
minime de son œuvre. Le plus grand nombre, comme il se doit,
appartient aux commentaires : celui d'Isaïe, dont il reste
l'essentiel ; celui des Psaumes, moins largement conservé mais
que l'étude des chaînes devrait permettre de reconstituer.

L'admiration que la science et la puissance de travail d'Eusèbe
ont suscitée de bonne heure ne se porte pas autant sur l'évêque,
le théologien et l'écrivain. Avant la paix de l'Église (313) et son
élection au siège de Césarée, qui ne tarda guère, il s'est montré
capable de courage : s'il n'a pas été martyrisé en 310 comme son
maître et ami Pamphile, il « n'échappe à la mort qu'en s'enfuyant
à Tyr, et de là au désert égyptien de la Thébaïde, où il fut
cependant découvert, arrêté et emprisonné »[5]. L'avènement de

---

3. Cf. P. CANIVET, *Histoire d'une entreprise apologétique au* v^e *siècle,* Paris,
[1958], pp. 268-271.
4. ID., *ibid.,* pp. 165-166 ; mais la suite fait large part à une « source X » (pp.
167-170).
5. J. QUASTEN, *Initiation aux Pères de l'Église* (édit. française de *Patrology*),
III, Paris, 1963, p. 439. Cette excellente notice sur Eusèbe occupe les
pp. 439-487 ; cf. celle de B. ALTANER, *Pécis de patrologie* adapté par H. Chirat,
Mulhouse, 1961, pp. 336-344.

Constantin profita plus à sa carrière qu'à son caractère. Son adulation de l'empereur dépasse les limites, et la confiance dont il jouit l'amène à influencer les mesures impériales contre les évêques orthodoxes. Eusèbe courtisan inspire peu de sympathie. Théologien, il se satisfait de compromis, et sa crainte du sabellianisme en fait un subordinatianiste, un semi-arien. Nous verrons que son platonisme moyen n'est pas ici sans responsabilité : le Christ, dont il proclame cependant le triomphe avec ferveur, reste un second Dieu ; serait-ce sous l'influence de Numénius [6] ? Quant à l'écrivain, tous les traducteurs ont gémi de ses phrases interminables, où les relatives s'enchevêtrent et dont la construction pose bien des problèmes ; il ne manque d'ailleurs pas de souffle, et l'élan de son enthousiasme pour le salut apporté par l'Évangile confère parfois à son style « sans agrément et sans éclat » [7] une sorte de beauté.

Dès le début de cet avant-propos, nous avons mentionné l'ouvrage de J. Sirinelli. Une année plus tôt avait paru celui de D.S. Wallace-Hadrill [8], qui examinait tous les aspects, y compris l'exégèse de la Bible (chap. IV) et celle de la philosophie grecque (chap. VII). Tout récemment, G.F. Chesnut met Eusèbe à la tête des « premiers historiens chrétiens » et lui consacre une bonne moitié de son livre [9] ; mais pas plus que J. Sirinelli il n'avait à puiser dans les commentaires scripturaires. Ceux-ci, au contraire, sont, avec la *Préparation* et la *Démonstration évangéliques,* nos sources principales [10].

On trouvera une présentation plus complète du platonisme d'Eusèbe dans l'introduction et le commentaire que G. FAVRELLE donne à l'édition du livre XI de la *Préparation évangélique* (« Sources chrétiennes », 1982).

---

6. E. des PLACES, « Numérius d'Apamée et Eusèbe de Césarée », ap. *Comptes rendus de l'Acad. des Inscr. et B.L.,* 1971, pp. 455-462 ; *Studia patristica,* XIII, Berlin, 1975, pp. 19-28.

7. PHOTIUS, *Bibl.,* cod. 13, 4a.

8. D.S. WALLACE-HADRILL, *Eusebius of Caesarea,* Londres, 1960.

9. Glenn F. CHESNUT, *The First Christian Histories : Eusebius, Socrates, Sozomen, Theodoret and Evagrius,* Paris, 1977. On trouvera là fermement défendues (p. 133, n. 1) l'authenticité et l'historicité de la *Vie de Constantin.*

10. La numérotation des Psaumes est celle de la LXX, la seule suivie par Eusèbe.

BIBLIOGRAPHIE

CC (ou *Corp. chr.*) = *Corpus christianorum*, Turnhout.
GCS = *Griechische christliche Schriftsteller*, Leipzig, puis Berlin.
PG = *Patrologia graeca.*
PGL = *A Patristic Greek Lexicon*, edited by G.W.H. Lampe, Oxford, 1968.
PL = *Patrologia latina.*
SC = *Sources chrétiennes*, Paris.

Œuvres d'Eusèbe. *Contre Hiéroclès. PG* 22 ; ap. *Philostratus, The Life of Apollonius of Tyana* (F.C. Conybeare, Loeb Classical Library), II, 1912, pp. 485-605.
DE = *Démonstration évangélique. PG* 22 ; *GCS* (I.A. Heikel), Eusebius Werke, VI, 1913.
Ecl. proph. = *Eclogae propheticae.* Th. Gaisford, Oxford, 1842 ; *PG* 22.
HE = *Histoire ecclésiastique. GCS* (E. Schwartz-Th. Mommsen), Eus. W., II, 1903-1909 ; *SC* 31, 41, 55, 73 (G. Bardy-P. Périchon), 1952-1960.
In Is. = *In Isaiam. PG* 24 ; *GCS* (J. Ziegler), Eus. W., IX, 1975.
In ps. = *In Psalmos. PG* 23.
PE = *Préparation évangélique. PG* 21 ; *GCS* (K. Mras), Eus. W., VIII, 1954-1956 ; *SC* 206, 215, 228 (L. I, VII et II-VI : J. Sirinelli, G. Schröder, E. des Places, O. Zink), 1974-1980.
VC = *Vie de Constantin. PG* 20 ; *GCS* (I.A. Heikel, puis F. Winkelmann), Eus. W., I, 1902 et 1975.

AMAND David, *Fatalisme et liberté dans l'antiquité grecque*, Louvain, 1945.
ARMSTRONG A.H., Ed., *The Cambridge History of Later Greek and Early Medieval Philosophy*, Cambridge, 1967.
BARTHÉLEMY D., *Eusèbe et « les autres »*, ap. *La Bible et les Pères*, Paris, 1971, pp. 51-65.
BIDEZ J., *Vie de Porphyre*, Gand, 1913.
CANIVET P., *Histoire d'une entreprise apologétique au Ve siècle*, Paris, s.d. (1958).
CHESNUT Glenn F., *The First Christian Histories : Eusebius, Socrates, Sozomen, Theodoret and Evagrius*, Paris, 1977.
COURCELLE P., *Les lettres grecques en Occident de Macrobe à Cassiodore*, Paris, 1943, 1948².
DANIÉLOU J., *Études d'exégèse judéo-hellénistique*, Paris, 1966.
DENIS A.-M., *Fragmenta pseudepigraphorum quae supersunt graeca*, et *Introduction aux pseudépigraphes grecs d'A.T.*, Leyde, 1970.
FESTUGIÈRE A.-J., *L'idéal religieux des Grecs et l'Évangile*, Paris, 1932.
GUTHRIE W.K.C., *A History of Greek Philosophy*, I-VI, Cambridge, 1962-1981.
JEAN-NESMY C., *La tradition médite le psautier chrétien*, I-II, Paris, 1973-1974.

LABRIOLLE P. de, *La réaction païenne*, Paris, 1934.

LAURIN Joseph-Rhéal, *Orientations maîtresses des apologistes chrétiens de 270 à 361*, Rome, 1954.

LUBAC H. de, *Histoire et esprit : l'intelligence de l'Écriture d'après Origène*, Paris, 1950.

OSTY E. et TRINQUET J., *La Bible. Le Livre des Psaumes*, Lausanne, 1971.

PÉPIN J., *Mythe et allégorie*, Paris, 1958, ²1976.

PLACES E. des, *La religion grecque*, Paris, 1969.

— *Platonismo e tradizione cristiana*, Milan, 1976.

PODECHARD E., *Le psautier*, I (ps. 1-75) et II (ps. 76-100 et 110), Lyon, 1949-1954.

PUECH A., *Histoire de la littérature grecque chrétienne*, III, Paris, 1930.

QUASTEN J., *Patrology*, III, Utrecht-Anvers, 1960 ; éd. fr. Paris, 1963.

RIEDINGER U., *Die Heilige Schrift im Kampf der griechischen Kirche gegen die Astrologie*, Innsbruck, 1956.

RIVAUD A., *Histoire de la philosophie*, I², Paris, 1960.

SANT C., *The Old Testament Interpretation of Eusebius of Caesarea*, Malte, 1967.

SIRINELLI J., *Les vues historiques d'Eusèbe de Césarée durant la période prénicéenne*, Dakar, 1961.

WALLACE-HADRILL D.S., *Eusebius of Caesarea*, Londres, 1960.

CHAPITRE PREMIER

EUSÈBE ET L'HÉRITAGE GREC [1]

---

1. Sauf indication contraire, les références de ce livre premier se rapportent à la *Préparation évangélique*.

— Liste, dans l'ordre chronologique, des auteurs profanes et chrétiens cités par Eusèbe ap. J-R. Laurin, *Orientations maîtresses des apologistes chrétiens de 270 à 361*, Rome, 1954, pp. 362-363.

EUSÈBE COMMENTATEUR DE PLATON

I. LES PREMIERS DIALOGUES SOCRATIQUES

Eusèbe ne cite pas l'*Hippias mineur,* ni le *Lachès,* ni le *Charmide;* mais il a d'assez longues citations de l'*Alcibiade,* de l'*Apologie,* du *Criton,* de l'*Euthyphron;* il cite une fois l'*Hippias majeur* et fait allusion au *Lysis.*

1. *Le Premier Alcibiade*

Une seule citation, mais d'importance : 133 c 1-16, avec les lignes 8-16 qu'Eusèbe (XI 27, 5) et Stobée (III 21, 24 ; p. 576 H.) ont seuls conservées. La suite du dialogue suppose ces lignes, et malgré l'idée « plutôt néoplatonicienne que proprement platonicienne de la présence intérieure de Dieu éclairant l'âme »[2], je persiste à les croire authentiques, en raison surtout de la récurrence de 134 d 4-5[3]. Dans le contexte eusébien, il s'agit de l'immortalité de l'âme, dont Platon a été « instruit » (IX 27, 4) par Moïse.

---

2. M. CROISET, ap. *Platon, Œuvres complètes,* I, Paris, 1920, p. 110, n. 1.
3. Cf. *Syngeneia,* Paris, 1964, pp. 67 et 68, n. 1. Selon E. Dönt, « Vorneuplatonisches im grossen Alkibiades» (*Wiener Studien,* 77, 1964, pp. 37-51), l'authenticité, bien douteuse pour le dialogue, est impossible pour 132 d -133 c.

2. L'Apologie de Socrate

Une allusion à 20 e-21 a, en XIII 14, 3 fin[4]; mais en XIII 10, les §§ 1-8 reproduisent 28 b 2-29 d 6[5], et les §§ suivants (9-12), 40 c 4-41 b 7. C'est donc presque tout le chapitre 10 qui vient de Platon, sous le titre « Qu'il ne faut pas fuir la mort pour la vérité ». Les quatre chapitres précédents (6-9) étaient en grande partie empruntés au *Criton*.

3. Criton

Dans toute cette section, en effet, Socrate illustre le principe qu'« il ne faut pas, par crainte de la mort, sacrifier son choix personnel aux opinions de la multitude » : tel est le titre du chap. 6, et ceux des chap. 7-9 les opposent aux renégats : « Qu'il ne faut pas se défendre de ceux qui veulent nous faire du mal » (chap. 7) ; « qu'il ne faut pas abdiquer devant les menaces de mort les jugements corrects une fois formés, ce qui s'appliquera à qui renie la foi en temps de persécution » (chap. 8) ; « quelles seront les dispositions de qui, par crainte de la mort, abjure sa propre résolution » (ch. 9). Du *Criton* Eusèbe cite ici : 46 b 1-48 a 10, 49 a 4-e 8, 52 c 5-53 a 6, 53 c 1-54 c 8[6].

4. Euthyphron

Séparée de ces extraits du *Criton* par un court fragment de Numénius (23 des Places, 30 Leemans), qui résume l'*Euthyphron* et forme le ch. 5 du l. XIII, une citation de ce dialogue « Sur la piété » (5 e 6-6 c 7) remplit le chap. 4 ; il s'agit des crimes que la mythologie prête aux dieux. Le sujet avait été traité dans son ampleur par la citation précédente, empruntée au l. II de la *République* et longue de plusieurs pages : tout le chap. 3 du même livre d'Eusèbe.

---

4. D'autres dans le *Discours* de Constantin *à l'assemblée des saints* : 163, 8-9 Heikel = 18 b 9 ; 166, 22-23 H. = 17 b 8-c 3 : le κεκαλλιεπημένους de Platon devient chez Constantin κεκαλλωπισμένων.

5. Dont la *Théophanie* syriaque (95*, 24-29 Gressmann) adapte deux phrases : 28 b 5-9 et 29 a 6-7.

6. Deux allusions dans le *Discours* de Constantin : 175, 2-3 Heikel = 48 d 5 ; 161, 18 H. = 54 d 4.

5. *Hippias majeur*

Une allusion possible, XIV 14, 8, à 283 a 4-5, où il est dit seulement qu'Anaxagore se ruina par incurie après un gros héritage ; la précision d'Eusèbe, « une terre avec élevage de brebis », peut provenir d'une doxographie.

6. *Lysis*

Plusieurs allusions au même passage, 214 a : le principe que l'amitié naît entre semblables ne vaut pas pour les méchants.
1) XIII 13, 16 (à travers Clément) ;
2) *Dém. év.* III 4, 39 (117, 24 Heikel) ;
3) *Théophanie* (syriaque) III 39 (141, 15 Gressmann), V 24 (234, 11-12 Gr.).

II. LES GRANDS DIALOGUES SOCRATIQUES[7]

1. *Gorgias*

L'allusion de XIII 13, 32 (à travers Clément) souligne l'accord de Platon (493 a 3) et d'Héraclite, qui font de l'incorporation de l'âme « un sommeil et une mort ».

XII 6, 1-22 cite presque en entier le mythe final (523 a 1-3, e 3-6 ; 524 a 10-527 d 7), pour montrer l'accord de Platon avec la foi chrétienne en matière de rémunération ; deux courts fragments reviennent en XIII 16, 16.

Le *Contra Marcellum* (I 4 ; 23, 12 et 204, 19-20 Klostermann) cite (d'après la préface du *De principiis* d'Origène) πεπιστευκότες καὶ πεπεισμένοι en l'attribuant au *Gorgias* (cf. 454 e 1-2)[8].

---

7. Eusèbe ne cite pas le *Protagoras* (une allusion possible dans le *Discours* de Constantin, 159, 10-12 H., à 349 b, comme à *Gorgias* 489 e 6 ?), ni le *Ménon*, ni *Ion-Ménexène-Euthydème*.

8. Le *Discours* fait allusion (175, 23-26 H.) à 469 b-c : mieux vaut subir l'injustice que de la commettre.

2. *Cratyle*

Entre autres étymologies, le *Cratyle* donne celle de « démon », et c'est à quoi fait allusion, sans référence expresse, IV 5, 4 fin (I 175, 19-21 Mras) : δαίμων ne vient pas de δαήμων, « comme le croient les Grecs » (398 b 6), mais de δειμαίνειν 'effrayer'. Autres allusions à « l'âme qui ordonne le Tout en le pénétrant » (400 a 5-6 = XV 12, 1, à travers Atticus, fr. 8) et au rapport du nom à la chose qu'il désigne (430 a = XI 10, 8, à travers Numénius, fr. 6 des Places, 15 Leemans).

Parmi les citations, la première à se présenter (dès le l. 1ᵉʳ) est celle de 397 c. Mais elles appartiennent presque toutes au chap. 6 du l. XI, 'sur la correction des noms chez les Hébreux' : sauf l'addition « chez les Hébreux », c'est le sous-titre même du dialogue. Au § 3, 383 a 5-b 2, où Hermogène admet « pour les Grecs et pour les Barbares une juste façon de dénommer qui est la même pour tous » ; aux §§ 4-5, 390 a 4-8 et d 1-e 4, sur la justesse naturelle des noms ; au § 7, 409 d 9-e 6, sur les étymologies « barbares » ; au § 16, 399 c 3-6, sur celle d'ἄνθρωπος ; au § 18 fin, 414 a 2-4, sur celles d'ἀνήρ et de γυνή ; au § 19 fin, 396 b 8-c 1, sur celle d'οὐρανός ; au § 20 fin, 397 d 3-4, sur celle de θεός ; au § 21, 393 a 8-b 1, sur celle d'Hector ; 395 a 8-b 2, sur celle d'Agamemnon ; 394 e 8-11, sur celle d'Oreste ; 395 b 2-c 2, sur celle d'Atrée ; 395 c 2-4, sur celle de Pélops ; 395 d 3-e 5, sur celle de Tantale ; 397 b 8-c 3, sur celles des noms de dieux. La suite, qui commence par les noms des astres, seules divinités primitives, est citée trois fois : 397 c 9-d 4 en I 9, 12 ; le début du même texte (397 c 9-d 2), III 2, 5 et, en style indirect, III 9, 14.

3. *Phédon*

Sous le titre « De l'âme », la *PE* utilise souvent le *Phédon,* soit par manière d'allusion : la réminiscence 72 e = XV 9, 5 (à travers Atticus) ; la métensômatose 82 a = XIII 16, 13 ; l'incarnation de l'âme 95 d 1 = XIII 13, 32 (à travers Clément ; cf. *Gorg.*) ; l'offrande d'un coq à Asclépios 118 a 6-7 = XIII 14, 3 fin ; soit sous forme de citation expresse : l'opposition du sensible et de l'intelligible 79 a 6-81 c 1 = XI 27, 6-19 ; la

métensômatose 81 d 9-82 b 7 = XIII 16, 4-7 ; Socrate à la
recherche de la finalité d'Anaxagore 96 a 5-c 7 = I 8, 17-18, dont
les trois mots περὶ φύσεως ἱστορίαν sont cités (à travers Atticus)
en XI 2, 1. Cette citation confirme les « souvenirs rapportés par
Xénophon » aux §§ 15-16 mais « exprime sur le mode ironique la
vanité des recherches physiques plutôt que leurs
contradictions »[9]. La découverte que Socrate fait d'Anaxagore
(97 b 8-99 b 1, puis b 6-c 6) forme le chapitre qu'Eusèbe
consacre à ce précurseur (XIV 15, 1-10). Le mythe géographique
de la destinée des âmes fournit de longues citations : 108 d 3-
111 a 3 = XI 37 (c'est le chapitre intitulé « De l'accord de Platon
avec les Hébreux sur ce qu'on appelle la sphère supracéleste ») ;
113 a 5-114 c 9 = XI 38, 2-6 (« De cet accord sur le jugement
après la mort »), dont deux extraits reviennent au l. XIII :
113 d 1-e 6 = XIII 16, 14 ; 114 c 2-6 = XIII 16, 15[10].

4. *Banquet*

Sur l'origine de l'homme et de la femme, Eusèbe rapproche de
la *Genèse Banquet* 203 b 1-c 1 (XII 11, 2) et 189 d 6-e 4 (XII 12,
2), 190 d 7-e 5 (XII 12, 3).

5. *République*

Comme pour l'*Apologie* et le *Phédon,* les citations ou allusions
de la *Théophanie* n'ajoutent rien à celles de la *PE.*
Trois allusions : dans le fr. 12 d'Oenomaüs, V 34, 3 invoque
l'«interprète ancestral des Grecs», comme Platon qualifie
Apollon en *R* IV 427 c 3 ; en VI 9, 24, dans un extrait d'A-
lexandre d'Aphrodise, les « amulettes, incantations et autres
sortilèges » rappellent *R* IV 4 26 b 1-2 ; en VI 6, 44, les
« alternances de fécondité et de stérilité pour l'âme et le corps »
viennent de *R* VI 546 a 5.
Quelques citations appartiennent aux l. I-X de la *PE.* Le l. IV
reproduit en 7, 4-7 un morceau de *R* II 377 e 7-378 d 7

---

9. J. Sɪʀɪɴᴇʟʟɪ ap. *PE*, I, Paris, 1974, p. 286.
10. Trois allusions dans le *Discours :* 189, 12 H. = 67 a ; 163, 17 = 109 d-e ;
164, 15 sv. = 114. Celles de la *Théophanie* n'ajoutent rien aux citations de la *PE,*
qu'elles adaptent ou abrègent.

(mensonges des poètes sur les dieux). Le l. IV abrège en 22, 8 (à travers Porphyre) *R* I 335 d (antagonisme radical entre le juste et l'injuste) ; au l. VI, le chap. 6, qui expose les vues personnelles d'Eusèbe sur la Providence, cite au § 50 l'axiome fameux du mythe d'Er : « La responsabilité incombe à l'auteur du choix, le dieu en est irresponsable » (*R* X 617 e 4-5) ; cf. *C. Hierocl.* 41 et 42 (pp. 592 et 602 Conybeare ; *PG* 22, 861 a 11 et 865 c 10).

La plupart des citations de la *République* appartiennent aux livres XI-XIV de la *PE*.

Au l. XI, le chap. 21 traite « de l'essence du bien ». Les §§ 3-5 citent, sur l'Idée du Bien, *R* VI 508 b 9-c 4, d 11-e 3, 509 b 2-10.

Au l. XII, le chap. 4, sur la nécessité des mythes pour l'éducation, cite *R* II 376 e 12-377 a 8 ; mais, avec Platon, le chap. 5 n'autorise que les bons mythes, en citant *R* II 377 a 12-c 5.

Le chap. 9 explique les répugnances de Moïse, de Saül, de Jérémie par le principe platonicien que le gouvernant ne gouverne pas pour lui-même : les §§ 2-3 citent *R* I 346 e 4-347 a 6.

Le chap. 10 traite « du juste selon Platon » : les §§ 1-4 citent *R* II 361 b 5-d 2, e 1-362 a 3.

Le chap. 19 décrit l'idéal divin de Platon pour en montrer la conformité avec celui de Moïse : les §§ 2-9 citent 500 c 9-501 c 2. Pour y arriver, il faut que les philosophes règnent dans la cité : le chap. 26 contient uniquement 499 c 8-d 5.

Le chap. 32 reproduit le passage du l. V qui admet, compte tenu de leur infériorité, que certaines fonctions soient confiées aux femmes (455 c 5-456 b 3).

Le chap. 35, « Sur la richesse et la pauvreté », cite *R* IV 421 e 7-422 a 3.

Le chap. 37 compare les dispositions de « Moïse » et celles de Platon sur les esclaves : *R* V 469 c 4-7.

Le chap. 43 retrouve chez Platon les métaux auxquels Isaïe compare les races : les §§ 2-4 citent *R* III 415 a 1-c 8.

Le chap. 44 continue le sujet des allégories communes aux deux, en citant, au § 2, *R* 345 b 10-e 3 ; de même le chap. 46, §§ 2-6 = *R* VI 588 b 9-589 b 7.

Le chap. 49 cite la critique de l'éducation grecque : §§ 1-2 = *R* X 595 b 4-c 4 ; §§ 3-14 = 599 b 9-601 b 6.

Au l. XIII, le chap. 3 reproduit la critique de la mythologie qui termine *R* II : §§ 1-37 = 377 c 7-383 c 7.

Le chap. 13, emprunté au Ve *Stromate* de Clément, cite avec lui : au § 5, *R* X 615 e 4-616 a 2 ; au § 6, *R* X 620 d 7-e 1 ; au § 33, *R* X 616 b 3-5 ; au § 63, *R* VII 519 c 8-d 1 et 521 c 5-8.

Le chap. 14 cite directement, aux §§ 7-9, *R* III 386 c 4-6, 388 a 5-8 ; 390 b 6-c 7 ; le chap. 16, §§ 9-11, *R* X 620 a 3-d 6 ; le chap. 19, sur les femmes dans la cité, § 2 : *R* V 452 a 7-b 3 ; § 13 : *R* V 457 c 9-d 3 ; § 15 : *R* V 458 c 5-d 7 ; § 17 : *R* V 460 e 4-7 ; § 18 : *R* V 461 b 9-11 et c 4-6.

Au l. XIV, le chap. 13, « Sur la gymnastique et la musique », cite, aux §§ 1-4 et 5-8 : *R* VII 521 d 3-522 b 6 et 530 e 6-531 c 4.

Le l. XV ne cite pas la *République*.

6. *Phèdre*

Outre les allusions, qui souvent ne portent que sur une expression (θεία κεφαλή *Phèdre* 234 d 6 = I 1, 1, 4 ; γυμνῇ κεφαλῇ 243 b 6 = VII 2, 2, 9 ; XI 19, 2 ; XIII 1, 5 ; et, dans le fr. 2 d'Atticus, τῶν ἀνθρωπίνων σπουδασμάτων 249 c 8-d 1 = XV 4, 7), Eusèbe a des citations du *Phèdre* aux l. XIII et XV de la *PE*.

XIII 13 (c'est le chapitre emprunté au Ve *Stromate* de Clément), § 9 = 240 a 10-b 1 ; § 15 fin = 255 b 1-2.

Ce dernier passage — la description de l'amour — fournit trois longues citations : XIII 20, 1 = 255 b 7-d 5 ; XIII 20, 2-3 = 255 e 2-256 a 10 ; XIII 20, 4-6 = 256 b 8-e 4.

La preuve de l'immortalité (245 c sv.) et le mythe de l'attelage ailé reviennent plusieurs fois, surtout dans des extraits d'Atticus : XV 12, 4 = 245 c 9 ; XV 8, 5 = 245 e 5-7 ; XV 9, 4 = 246 b 7-8 ; XV 13, 1 = 248 b 7 ; XV 13, 2 = 247 b 5-6 ; ou de Porphyre : XV 11, 4 fin = 245 e 4-5. Quelques lignes (245 c 5-8) dans le *Contre Hiéroclès,* 41 (p. 592 Conybeare ; *PG* 22, 861 a 8-11). Mais Eusèbe cite directement (XIII 16, 8) 248 e 7-249 b 6, sur les choix de l'âme après la mort.

La *Démonstration évangélique* adapte (III 4, 39 ; 117, 24 Heikel) 255 b 1-2, déjà cité par la *PE* à travers Clément ; elle cite (VIII 2, 44 ; 374, 21-22 Heikel) le κοινὰ τὰ τῶν φίλων qui termine le dialogue (279 c 5-6).

La *Théophanie* abrège, en II 39, 246 e 4-7 ; on y trouve en outre deux allusions.

III. LES ŒUVRES DE LA DERNIÈRE PÉRIODE

1. *Parménide*

Le fr. 9 d'Atticus, dernier extrait d'Eusèbe, défend les Idées et la « participation des choses aux Formes » : XV 13, 3 μεθέξει = *Parm.* 132 d 3, μετέσεσθαι = 135 b 7-c 1.

2. *Théétète*

Eusèbe ne connaît pas seulement le grand passage sur la vie philosophique (173 c 6-177 b 7) cité en XII 29, 2-21 (un écho de 176 b 2-3, c 1-3 en *Théoph.* II 30), mais plusieurs autres qui dénotent une lecture complète du dialogue, rare à cette époque : XII 45, 1 = 151 a 4-8, qui compare les disciples de Socrate aux femmes en mal d'enfant ; ch. XIII 13, 21 = (d'après Clément) 151 d 2-3. En XIV 4, 1-2, il cite la critique des présocratiques (152 d 7-153 a 3), comme tout de suite après, en XIV 4, 3-7, la réfutation du mobilisme (179 c 7-181 a 3). Avec Aristoclès (fr. 5 ; XIV 20, 3-5), il adapte et résume, contre Protagoras et sa foi dans les seules sensations, 161 c 2-162 a 3.

3. *Sophiste*

Qu'à la suite de Clément Eusèbe parle du « grand » Parménide, comme Platon le qualifie dans le *Sophiste* (237 a 5 ; XIII 13, 39 mil.) ou qu'il emprunte à ce dialogue la locution proverbiale οὐ θατέρᾳ ληπτοί (226 a 7 = IV 2, 13 ; cf. XIV 7, 7, dans le fr. 26 de Numénius ; *Dém. év.* IV 9, 5 ; *Hist. eccl.* III 27, 1), cela ne tire pas à conséquence ; plus importante est la critique des présocratiques : la citation de 242 c 4-243 a 4, 245 e 6-246 e 4, en XIV 4, 8 et 9-11, continue la réfutation du mobilisme dans le *Théétète,* citée aux paragraphes précédents.

4. *Politique*

XII 8, 4 cite 261 e 5-7, sur le détachement à l'égard des mots. C'est surtout le mythe cosmologique qui a retenu l'attention d'Eusèbe, à propos du «nouveau ciel» d'Isaïe : XI 32, 5-11 = 269 c 4-270 d 4 ; 33, 1-3 = 271 a 3-c 4 ; 34, 1-3 = 272 d 7-273 b 1 ; 34, 4 = 273 d 4-e 4 ; et au l. XII il reproduit deux textes sur la vie primitive de l'humanité : 13, 2 = 271 e 5-272 b 5 ; 14, 2-3 = 272 b 10-d 5.

5. *Philèbe*

La fin du fr. 14 de Numénius (XI 18, 19) est une allusion à 16 c 6-7 (le feu de Prométhée, qui représente pour Numénius une science divine donnée aux hommes). Sur l'intellect roi de l'univers, XII 51, 35-48 cite 28 c 6-30 d 4 ; et contre les tenants de la supériorité du plaisir, XIV 22, 1-16 = 65 b 5-67 b 9, presque toute la fin du dialogue.

6. *Timée*

Avec la *République* et les *Lois*, le *Timée* est le dialogue le plus souvent cité par Eusèbe.

La *Chronique* arménienne cite (*Préface*, p. 2, l. 26-28 Karst) 22 b 4-5 et 9 ainsi que (p. 85, 10-13 K.) 22 a 5-8 ; les deux citations se retrouvent dans la *PE*.

La *Démonstration évangélique* cite en III 6, 24 le passage célèbre 28 c 3-5 ; et II 3, 15 résume 41 b 2-6.

La *Théophanie* fait au *Timée* de fréquents emprunts ou allusions : II 44 (p. 98, 6-8 Gressmann) = 27 d 6-28 a 2 ; I 36 (p. 53, 30-54, 1 G.) = 28 a 2-4 ; les deux passages ensemble (27 d 6-28 a 4) se trouvent II 33 (p. 94, 13-17 G.), comme en *PE* XI 9, 4. Ici et pour les autres citations de la *Théophanie* Eusèbe puise dans le répertoire de la *Préparation*[11]. Seule l'allusion de I 6 (p. 42, 27-43, 2 G.) aux qualificatifs de la matière «mère et réceptable de tout ce qui naît... invisible et sans forme» (51 a 5-8) ne correspond à aucune citation de la *PE*.

---

11. Voir les références de H. GRESSMANN, *Theophanie,* p. 265*.

Beaucoup des citations de la *PE* appartiennent à des fragments d'Atticus. L'une ou l'autre vient de Numénius. Mais à l'égard de ce philosophe Eusèbe procède d'une manière particulière : la plupart des fragments du *Péri agathoû* suivent de longs extraits du *Timée*, qu'ils semblent commenter ; au point que H.D. Saffrey a émis l'hypothèse plausible que le traité de Numénius était un commentaire de textes platoniciens, et particulièrement du *Timée* [12].

Vers la fin du l. II (7, 1-2), le « jugement de Platon sur la théologie des anciens » s'ouvre par la citation de 40 d 5-41 a 3 : début d'une généalogie des dieux. Cette citation revient deux fois au l. XIII : 1, 1-2 et 14, 5.

En VIII 14, 66, le fragment du *De providentia* de Philon, qu'Eusèbe a seul conservé en grec, a le φυτὸν οὐράνιον de 90 a 7.

X 4, 19 cite 22 b 4-5 et 9 (« les Grecs toujours enfants ») ; et X 12, 11 : 22 a 5-8.

XI 9, 4 cite, à propos de « l'être chez Moïse et Platon », 27 d 6-28 a 4, qui revient au chapitre suivant (IX 10, 10) dans le fragment 9 de Numénius, comme 28 a 3-4 en XV 10, 9 d'après Plotin.

XI 9, 7, sur le temps = 37 e 3-38 b 2.

XI 13, 2 cite, sur l'unicité de Dieu, 31 a 1-5.

XI 20, 2, sur l'essence du Bien, 29 d 6-e 4 (cf., dans le fr. 20 de Numénius, XI 22, 9, et dans le fragment 4 d'Atticus, XV 6, 13) ; XI 23, 1 cite 29 a 7-b 2 et 30 c 9-d 1.

XI 29, 2 cite, sur la genèse du monde, 28 a 4-6 ; les §§ 3-4 = 28 b 3-c 5 ; le § 5 = 30 b 7-c 1.

XI 30, 2 cite, sur les planètes, 38 c 3-8 (cf., un peu plus complet, XIII 18, 6) ; XI 30, 3, sur le temps, 38 b 6-7 (suite de la citation de XI 9, 7) ; XI 30, 4, sur l'immortalité conditionnelle des dieux, 41 a 7-b 6 (texte repris d'un peu plus haut, à partir de 41 a 3, XIII 18, 10).

XI 32, 2, sur les éléments du monde = 32 b 8-c 4 (repris d'un peu plus haut, à partir de b 6, XIII 18, 4).

---

12. Cf. H.D. SAFFREY, ap. *Studia patristica*, XIII, Berlin, 1975, pp. 46-51. Mais, d'après M. BALTES (*Vig. Chr.*, 29, 1975, p. 269), Numénius n'a pas écrit de commentaire du *Timée*.

XIII 1, 1-2, généalogie des dieux = 40 d 6-41 a 3 ; cf. XIII 14, 5 et II 7, 1-2.

XIII 13 cite, d'après le Ve *Stromate* de Clément : au § 3, 48 c 2-6 ; au § 7, 28 b 6-9 et c 3-4 ; au § 17, 90 d 4-7 ; au § 28 fin, 41 a 7.

XIII 18, 4 = 32 b 8-c 4 (cf. XI 32, 2).

XIII 18, 5, sur l'âme du monde = 34 b 3-6.

XIII 18, 6, sur les planètes = 38 c 3-9 (cf., un peu moins complet, XI 30, 2) ; § 7 = 38 e 5-6 ; § 10 = 41 a 3-b 6.

Au l. XV, plusieurs citations ou allusions dans les fragments d'Atticus.

XV 5, 2 (fr. 3) cite librement, en style indirect, 29 e 1-4 (le Démiurge bon et sans envie), 30 a 4-5 (remise en ordre) ; ces dernières lignes citées littéralement dans leur contexte en XV 6, 4 (fr. 4) = 30 a 3-6.

XV 6, 5 (fr. 4) abrège 41 b 2-6, cité complètement XIII 18, 10 (ci-dessus).

XV 6, 13 (fr. 4) cite littéralement 29 e 1-2.

XV 7, 6 (fr. 5) peut rappeler 35 a, surtout a 1-2 ἀεὶ κατὰ ταὐτὰ ἐχούσης ; mais les épithètes ἀχρώματος et ἀναφής ne sont pas platoniciennes ; ἀσώματος, lui, se trouve plusieurs fois chez Platon et Numénius (3 fois dans le seul fr. 6).

XV 8, 1-2 (fr. 6), sur le dissentiment entre Platon et Aristote à propos des éléments du monde, cite assez littéralement 40 a 3 et 39 b 4-6 ; le § 4 adapte 40 a 8-b 2, sur le double mouvement des astres.

XV 8, 11 (fr. 6), sur le lourd et le léger, s'inspire de 62 c 3-d 12.

Le dernier témoignage du l. XV serait une allusion du Pseudo-Plutarque : XV 33, 4 rappellerait, d'après Mras, 34 a. En réalité, le souvenir se rapporte autant à 33 b-c.

7. *Lois*

Dans la *Vita Constantini*, 57, 2 (p. 44, 26-45, 1 Winkelmann ; 34, 15 Heikel) vise XII 959 c 5 ; aussi Heikel conjecturait-il σαρκῶν pour σωμάτων.

Dans le *Discours de Constantin*, pour 158, 24 H. (πληθύ[ν]οντος... τέχναι), cf. III 678 b ; pour 165, 10 H., παθήματα (θεῶν), cf. III 682 a.

La *Théophanie* syriaque n'ajoute rien aux citations de la *PE*, sauf 875 c cité II 36 (95, 20-24 Gressmann).

Le *Contre Hiéroclès* (42, p. 602 Conybeare ; *PG* 22, 865 c 6-8) cite IV 716 a 1-3.

Rien dans la *Démonstration évangélique*.

Dans les premiers livres de la *PE*, deux allusions et une citation.

I 1, 2, 5 cf. I 631 c 4-5 (citation *PE* XII 16, 3 fin).

III 1, 2, 8-12 (dans le fr. 157 Sandbach de Plutarque, tiré des *Daidala de Platées*) résume VI 775 b-d [13].

III 8, 2, 5-9 cite *L* XII 955 e 6-956 a 3 ; εὐαγές (956 a 2) est la leçon de la tradition indirecte (Clément, Eusèbe, Théodoret) et a pour lui le (*haud*) *satis castum* de Cicéron, *De legibus* II 45 ; mais l'εὐχερές des mss de Platon, «(pas) facile à travailler», opposerait l'ivoire aux tissus et peintures pour lesquels est fixé un temps limite (un mois, un jour) et qui demanderaient par conséquent moins de travail ; et il serait confirmé par l'εὔχερι d'Apulée, *Apologie*, 65, 7 (εὔχαρι Helm) [14].

Les livres IV-X ne s'occupent pas de Platon ; toutes les autres allusions et citations proviennent des livres XI-XIII et XV.

Livre XI. XI 3, 2, dans le fr. 1 d'Aristoclès, cite comme proverbial, en le rapportant à Platon, le πῦρ ἐπὶ πῦρ (πυρί Eusèbe) de *L* II 666 a 5.

XI 13, 5, dans un chapitre sur l'unicité de Dieu, cite le passage de *L* IV 715 e 7-716 a 2 sur Dieu «principe, fin et milieu de toutes choses». Peu de textes platoniciens ont eu pareille fortune [15]. Dans la *PE* même, le début revient à travers Atticus (fr. 3, XV 5, 2), sous la forme d'une proposition infinitive

---

13. Cf. les imitations et paraphrases citées par J.H. WASZINK, ap. *Tertulliani de anima*, 25, 9 (Amsterdam, 1947, p. 334). La référence de la *PE* ajoute ici aux trois premiers numéros (livre, chapitre et paragraphe) l'indication des lignes telles qu'elles sont comptées dans l'édition des livres I-VII de la collection «Sources chrétiennes».

14. Cf. ma note à *PE*, III 8, 1, 15 («Sources chrétiennes», 228, 1976, p. 187, n. 4).

15. Cf. *Mélanges J. Saunier*, Lyon, 1944, pp. 34-35 ; *Platon, Œuvres complètes*, XI 2, Paris, 1951, p. 65, n. 2 et apparat critique *ad loc*. Le dossier pourrait s'accroître ; ainsi, au συνέπεται de 716 a 2 correspond dans les *Orphicorum fragmenta* de Kern l'ἐφέσπετο du fr. 158 ; cf. A.B. Cook, *Zeus*, II, Cambridge, 1925, p. 1033, n. 1.

(ἀρχήν,... περαίνειν περιπορευόμενον). Dans la *Laus Constantini* (6 ; p. 209, 12 Heikel et 12 ; p. 231, 26 H), le logos chargé de gouverner le monde εὐθείᾳ περαίνει (716 a 1) ; de même l'empereur (10 ; p. 223, 13 H.).

XI 26, 2 cite *L* X 896 d 10-e 6, sur l'unicité ou la pluralité de l'Ame du Monde, repris, d'après Clément, en XIII 13, 8.

Livre XII. XII 1, 2 cite *L* I 634 d 4-e 7, sur les critiques de la législation à éviter devant les jeunes.

XII 2, 1-4 = *L* I 629 e 4-630 c 6, apostrophe à Tyrtée sur le vrai courage [16].

XII 3, 1 = *L* XI 926 e 10-927 a 8, sur l'intérêt que les âmes des morts portent aux affaires humaines.

XII 7, 13 = *L* III 689 b 5-e 1, sur la lutte contre l'ignorance.

XII 15, 1-4 = *L* III 677 a 1-c 8 ; XII 15, 5 = *ib.* e 6-8. Il s'agit du déluge, qu'Eusèbe se plaisait à trouver chez Platon comme dans la *Genèse*.

XII 16, 2-6 = *L* I 631 a 8-632 a 3, sur l'échelle des biens, divins et humains (cf. ci-dessus l'allusion de I 2, 5) ; XII 16, 7-8 = 632 c 3-d 6, conclusion du « but de la législation ».

XII 17, 1 = *L* I 643 b 4-d 3 ; XII 18, 1-3 = I 643 d 6-644 b 4 ; XII 18, 4 = II 653 b 1-c 4 ; XII 20, 1-3 = II 659 c 9-660 a 8 : définitions de l'éducation.

XII 21, 1-5 = *L* II 660 e 2-661 d 5 : les vrais biens seuls dignes d'être chantés.

XII 22, 1 = *L* II 657 a 4-9 ; XII 23, 1-3 = *L* II 658 e 6-659 b 4 : retour en arrière ; il s'agit des critères propres à déterminer les chœurs les plus éducatifs.

XII 24, 1-4 et 25, 1 empruntent à *L* II 671 a 2-d 6 et 673 e 3-674 c 3 la réglementation des beuveries.

XII 27, 1-2 = *L* I 626 d 1-e 6, sur la guerre intérieure à chaque homme.

XII 27, 3, puis 4-5 = *L* I 644 c 4-d 3, puis 644 e 1-645 c 1, continuent le sujet, en insistant sur la lutte contre les passions.

---

16. Cf. *Mélanges J. Saunier,* p. 29 ; « Les *Lois* de Platon et la *PE* d'Eusèbe de Césarée » (*Scritti... G. Vitelli,* II = *Aegyptus,* 32, 1952, pp. 223-231), p. 225 : « I 630 b 4, Eusèbe lit seul ἐν ᾧ πολέμῳ, élégant et nécessaire au sens, pour l'ἐν τῷ πολέμῳ d'AO de Platon. »

XII 28, 1-2 = *L* X 896 c 5-d 8, sur la responsabilité de l'âme ; c'est le passage qui précède la citation de XI 26, 2.

XII 31, 1 = *L* II 663 d 6-e 4, sur le mensonge politique.

XII 32, 1 = *L* II 665 b 8-c 10, sur la valeur universelle de l'éducation préconisée.

XII 33, 1 = *L* I 639 a 2-8 ; XII 33, 2 = 639 c 1-7 : ne pas juger une institution sur ses mauvais représentants.

XII 34, 2-3 = *L* VII 801 e 7-802 a 5 : qui louera-t-on ? Platon, dit Eusèbe, est ici d'accord avec les *Proverbes* et le Siracide.

XII 36 = *L* XI 931 e 8-9 et IX 879 c 6-8 : respect des parents.

XII 38 = *L* VIII 842 e 7-843 a 1 et 843 c 6-d 2 : respect des bornes du voisin. Sur ce code rural, Platon s'accorde avec le *Deutéronome*.

XII 39 = *L* IX 856 c 8-d 3 ; XII 40 = *L* IX 857 a 2-8 ; XII 41 = *L* IX 874 b 8-c 2 ; XII 42 = *L* IX 873 e 1-6 : peines diverses, toujours d'accord avec la Bible.

XII 47 = *L* VI 760 b 3-6 et 755 d 7-e 1 : douze tribus chez Platon comme chez « les Hébreux » ! avec cinq agronomes et phrourarques (φρουράρχους Eus. : φυλάρχους AO ; c'est un des cas où Eusèbe a seul conservé la bonne leçon) et douze taxiarques.

XII 48, 1-6 = *L* IV 704 b 1-705 b 6 : le territoire de la future cité crétoise n'est ni trop près de la mer ni trop fertile ; on croirait, dit Eusèbe, que c'est Jérusalem.

XII 50 ; 51, 1-34 ; 52, 1-31 réunissent plusieurs citations du l. X : réfutation de l'athéisme par la démonstration de l'âme automotrice, puis démonstration de la Providence. En voici la répartition :

a) XII 50, 1-6 = *L* X 888 e 4-890 b 2 ;

b) XII 50, 7-8 = *L* X 891 b 8-d 6 ;

c) XII 50, 9-11 = *L* X 892 a 2-c 8 ;

d) XII 51, 1-3 = *L* X 893 b 1-c 7 ;

e) XII 51, 4-34 = *L* X 895 a 5-899 a 6 ;

f) XII 52, 1-31 = *L* X 899 d 5-905 d 2.

En 898 e 2, l'ῷ (δὴ) des mss d'Eusèbe semble permettre la meilleure interprétation de la phrase. Mais dans un autre passage difficile, 905 b 1, il donne comme les mss AO de Platon un ἁγιώτερον (τόπον) qui n'est sûrement pas à retenir ; il faut demander aux marges d'AO un ἀγριώτερον qui peut s'appuyer

sur l'ἀγριώτατος (τόπος) de 908 a 7, ou mieux encore un
ἀπώτερον que T.J. Saunders adopte avec l'édition de 1956[17].

L XIII. XIII 13, 16 (d'après Clément) = *L* IV 716 c 1-5 ;
17 début = (librement) IV 716 d début.

XIII 13, 21 (id.) = *L* XI (Eusèbe écrit : X) 917 c 3-4.

XIII 18, 8 = *L* X 904 c 5-10, doublet de XII 52, 27 a.

XIII 19, «dispositions de Platon au sujet des femmes», cite la
République et plus encore les *Lois* : XIII 19, 3 = *L* VII 813 b 3-
5 et 7-8, puis VII 796 b 6-c 3 ; 4-5 = *L* VII 804 c 8-e 4 ; 6 =
L VII 813 d 7-814 a 2 ; 8-9 = *L* VIII 833 c 9-e 2 ; 10 =
L VIII 833 e 6-8, 834 a 2-3 ; 11 = *L* VIII 834 d 4-8 ; 12 =
XI 924 e 11-925 a 5 ; 13 = VI 771 e 5-772 a 4. Eusèbe s'indigne
de ces exhibitions à l'occasion d'exercices ou de danses.

XIII 21, dernier chapitre du livre, traite de «droit criminel» :
les lois de Platon sur la peine de mort s'accordent avec celles de
Moïse.

XIII 21, 1 = *L* XI 914 a 2-9, où l'ἀποδιδούς d'a 8 est la leçon
du seul B d'Eusèbe, adoptée dans l'édition de 1956 et défendue
REG, 80, 1967, pp. 389-390 ; il vaut peut-être mieux lire ἀποδιδούσης avec tout le reste de la tradition[18].

XIII 21, 2 = *L* IX 868 a 4-5 ; 3 = *L* IX 867 c 3-7 ; 4 =
L IX 867 d 1-3 ; 5 = *L* 867 e 8-868 a 2 ; 6 = *L* 868 c 6-d 3 ; 7 =
L IX 868 d 7-e 5 ; 8 = *L* IX 868 e 7-13 ; 9 = *L* IX 869 c 7-d 6 ;
10 = IX 871 a 2-6, b 1-2, 6-7 et 877 c 2-4.

XIII 21, 12 = *L* VIII 844 e 5-845 a 5 concerne la cueillette des
fruits ; ici encore, les *Lois* rejoignent le *Deutéronome,* sauf que la
Grèce n'est jamais allée jusqu'à permettre le grappillage, «droit
sacré du déshérité sur le bien de l'homme prospère»[19], tel que
l'autorise *Dn* 24, 19-21, cité par Eusèbe au § 13.

---

17. Cf. E. des PLACES, ap. *Wiener Studien,* 70, 1957, pp. 258-259 ;
T.J. SAUNDERS, *Notes on the Laws of Plato* (Inst. of Cl. Studies, Bull. Suppl.
nº 28), Londres, 1972, p. 103.
18. Cf. surtout XI 932 d 6-7 ; et voir T.J. SAUNDERS, *Notes...,* p. 104. Le
«payant» de la traduction Diès est ambigu ; j'écrirais maintenant «qui paiera»
(c'est-à-dire la cité). Celle de J.M. Pabon et M. Fernandez Galiano (*Platon, Les
leyes,* Madrid, 1960, II, p. 191), qui lisent ἀποδιδούσης et le rendent par
«mediante pago», peut également se rapporter à l'esclave comme à la cité.
19. A. PELLETIER, «L'attentat au droit du pauvre dans le *Pentateuque* des
LXX» (*Recherches de science religieuse,* 42, 1954, pp. 523-527), p. 526.

L XV. Une allusion (à travers le fr. 7 d'Atticus) : XV 9, 8 = *L* X 897 a 1 (βουλεύεσθαι) et 4 (πρωτουργοὶ κινήσεις), dont le contexte se trouvait en XII 51, 20.

8. *Epinomis*

La citation de la *Théophanie* (II 27 ; 92, 7-13 Gressmann) reproduit *PE* XI 16, 1. Voici celles de la *Préparation*.

X 4, 21 = *Epin.* 986 e 9-987 a 6, sauf deux lignes [20].

X 4, 22 = *Epin.* 987 d 8-e 2, qui corrige le texte précédent, en affirmant la supériorité des Grecs sur les Barbares.

XI 16, 1 = *Epin.* 986 c 1-7 ; c'est le passage célèbre sur le *logos,* pour Eusèbe une « seconde cause » [21].

XIII 2, 1 = 980 c 7-10 : rejet de l'ancienne théologie [22].

XIII 18, 2 = 977 a 2-7 ; XIII 18, 3 = 984 d 4-e 4 : par ce culte des astres, Platon se sépare des Hébreux.

XIV 25, 3 (à travers Denys d'Alexandrie) : αἰώνια... σώματα ἢ μακράωνα fait allusion à 982 e 1 (θεῖον) et 2 (μακραίωνα) [23].

9. *Lettres*

La citation de la *Lettre* VI, 323 c 7-d 6, dans la *Théophanie* (II 29 ; 92, 16-25 Gressmann), reproduite de *PE* XI 16, 2, fait suite, comme dans la *PE,* à une citation de l'*Epinomis* commune aux deux œuvres.

XI 12, 2 = *Lettre* VII 341 c 6-d 2 (peut-être d'après Clément, *Strom.* V 77, 1) : l'étincelle d'où jaillit la philosophie.

XI 12, 4 = *Lettre* XIII 363 b 1-6 : le signe de reconnaissance des lettres.

XI 16, 2 = *Lettre* VI 323 c 7-d 6 : le dieu père de la cause. Allusion à d 4 (à travers Plotin) XI 17, 9 ; citation partielle du passage (d'après Clément) XIII 13, 28.

XI 20, 2 = *Lettre* II 312 d 7-e 6, repris d'après Plotin, librement, XI 17, 9 ; e 1-4 d'après Clément XIII 13, 28 : les trois causes ?

---

20. Sur les variantes d'Eusèbe, cf. *Aegyptus,* 32, 1952, p. 230.
21. Cf. *Mélanges Desrousseaux,* Paris, 1937, p. 354 ; *REG,* 50, 1937, p. 328.
22. Sur les variantes du texte, cf. *Aegyptus,* 1952, p. 230.
23. Cf. W. LAMEERE, in *L'Antiquité classique,* 18, 1949, pp. 320-323.

XII 7 = *Lettre* II 314 a 1-7 : garder le secret.

Eusèbe cite donc les *Lettres* II, VI, VII et XIII ; comme ses contemporains, il les tenait sans doute pour authentiques. De nos jours, la *Lettre* VII a seule rallié de nombreux suffrages, et encore la digression philosophique (dont fait partie la citation de XI 12, 2) reste-t-elle souvent discutée.

IV. LES CHOIX D'EUSÈBE. SON JUGEMENT SUR PLATON

L'inventaire des citations et allusions d'Eusèbe a suivi l'ordre de son œuvre, et, à l'intérieur de la *PE,* qui les fournit presque toutes, l'ordre des livres. Le groupement par dialogues, tel que K. Mras le donne dans son « Stellenregister », a d'autres avantages ; et d'abord il permet de retrouver immédiatement la citation cherchée. Mais la composition de la *PE*, son plan logique et harmonieux, pouvaient mériter la préférence : on a montré souvent comme l'apologiste édifiait sa construction [24] ; il a lui-même résumé son dessein au début du l. XV. La division adoptée plus haut entre petits dialogues socratiques, grands dialogues socratiques, œuvres de la dernière période a isolé les pièces maîtresses — *République, Timée, Lois* — pour marquer à l'intérieur de chacune le mouvement de l'argumentation.

Soit la *République*. Les premiers livres de la *PE* ne s'y réfèrent qu'incidemment. Mais le livre XI, qui veut retrouver chez Platon l'essentiel de la croyance hébraïque sur Dieu et la seconde cause, ne pouvait omettre le passage central (VI 508-509) sur l'Idée du Bien, et surtout l'anthologie platonicienne qu'est le livre XII témoigne d'une ample connaissance du dialogue. En matière d'éducation, Eusèbe rend hommage à certains principes du législateur athénien ; mais il ne peut le suivre pour la préparation à la guerre, surtout quand il s'agit d'y instruire aussi les femmes ; et les exhibitions du stade provoquent son indignation.

---

24. Sur le plan de la *PE,* cf. A.-J. FESTUGIÈRE, *L'idéal religieux des Grecs et l'Évangile,* Paris, 1932, pp. 255-256 ; G. SCHROEDER, *Livre VII* (Sources chrétiennes 215), Paris, 1975, pp. 15-16 ; H.-D. SAFFREY, in *Forma futuri. Studi… Mich. Pellegrino,* Turin, 1975, pp. 146-149.

Encore plus significative est la cueillette d'Eusèbe à travers les *Lois*. Outre les passages éducatifs parallèles à ceux de la *République* — et il cite côte à côte les uns et les autres — il trouve dans le dernier dialogue les éléments d'une théologie naturelle où l'Ame du Monde remplace l'Idée du Bien et où la Providence est largement démontrée ; aux *Lois* il joint l'*Epinomis,* qui lui apporte des précisions sur le culte des astres.

Le culte des astres, en effet, lui répugne, même s'il le distingue de l'idolâtrie [25]. Que Platon attribue leur origine à l'auteur de l'univers, cela dénote son accord avec la sagesse hébraïque ; mais les adorer, les regarder comme des dieux ! L'*Epinomis* témoigne de cette erreur en deux endroits. Voici la première citation : « Quel est donc, Mégillos et Clinias, le dieu dont je parle avec tant de respect ? Sans doute l'univers, auquel il est si juste, comme le font sans exception tous les démons aussi bien que les dieux, d'adresser des hommages et des prières spéciales. Qu'il a été pour nous la cause de tous les autres biens, nous serions unanimes à en convenir » (977 a 2-7). « Un peu plus bas, dit Eusèbe (XIII 18, 3), Platon ajoute : "Parmi les dieux visibles, les plus grands, les plus vénérables, ceux qui portent de tous côtés les regards les plus perçants, il faut placer en premier lieu les astres et tous les corps dont nous les voyons escortés ; après eux et au-dessous d'eux, il faut, dans l'ordre, mettre les démons ; quant à l'espèce aérienne, qui occupe la place intermédiaire et vient en troisième lieu, qui fait l'office de messagère, c'est un devoir instant de l'honorer par des prières, en reconnaissance de sa médiation favorable" » (984 d 4-e 4). Là-dessus Eusèbe cite plusieurs extraits du *Timée,* une page de Philon, et termine par cette protestation à l'égard du philosophe (XIII 18, 17) : « Ce n'est pas pour le calomnier que je me suis laissé aller à ces propos ; car j'ai pour lui une vive admiration, je le regarde comme mon meilleur ami parmi tous les Grecs, je le révère, lui qui a eu des idées qui me sont chères et proches, sinon absolument les mêmes que moi ; seulement je montrais ce qui manque à sa pensée en comparaison de Moïse et des prophètes d'Israël. A vrai dire, si je voulais blâmer, il y aurait belle matière

---

25. Il les oppose (*Dém. év.,* IV 9, 10-11) comme la religion naturelle et la corruption de celle-ci ; cf. *La religion grecque,* Paris, 1969, p. 258.

à critique : ces dispositions si augustes et si sages qu'il a prises dans la *République* à l'endroit des femmes, ou les solennels développements du *Phèdre* sur les amours interdites. » Le livre XIII de la *PE* s'achève sur une comparaison des *Lois* et du *Deutéronome,* non sans noter qu'il y a chez Platon une foule de vues inattaquables : on acceptera les meilleures et on laissera de côté les autres.

La fin du livre contient les principales accusations d'Eusèbe contre le platonisme ; dans le reste du livre et dans les deux précédents (XI-XII), il insiste bien davantage sur les mérites de la doctrine. Deux passages l'ont vivement frappé : celui du l. IV des *Lois* (715 e-716 a) sur « Dieu commencement, fin et milieu de tous les êtres » et celui de l'*Epinomis* sur le *logos* divin (986 c), que la *PE* (XI 16, 1) et la *Thérapeutique* de Théodoret (II 77) appliquent au Verbe. Platon réclame pour chacun des dieux sidéraux « un apanage et un temps où chacun d'eux parcoure son circuit et réalise ainsi, pour sa part, l'ordre qu'a établi et voulu visible à nos yeux la loi de toutes la plus divine » (986 c 2-5). « Visible à nos yeux » traduit l'attribut proleptique ὁρατόν. Eusèbe et Théodoret ont supprimé le mot. C'est que pour eux le *logos* n'était pas la loi cosmique, d'origine peut-être pythagoricienne, mais bien le Verbe, dont ils trouvaient ici préfigurée l'action dans le monde. La citation a chez eux un contexte trinitaire. Pour Théodoret (II 76 fin), Platon connaissait l'auteur de l'univers et le Père de cet auteur ; la *Lettre* II (312 d-e), citée tout de suite après chez lui comme chez Eusèbe, s'interprétait dans le même sens [26].

Du *Timée,* Eusèbe retient surtout les textes qui vont dans le sens de la théologie chrétienne ; les thèmes qui l'intéressent le plus sont l'être, l'unicité de Dieu, l'essence du Bien, la genèse du monde, les planètes, le temps, l'immortalité conditionnelle des dieux. La plupart des citations appartiennent au livre XI de la *PE*, qui cite longuement le *Phédon*, le *Politique* et le *Philèbe*, mais une seule fois la *République,* à propos de l'essence du Bien ; en revanche le *Timée* n'intervient pas dans le livre XII, le plus

---

26. Cf. *REG,* 50, 1937, p. 328. Sur les corrections «chrétiennes», cf. P. CANIVET, *Histoire d'une entreprise apologétique au vᵉ siècle,* Paris, [1958], pp. 158-160.

riche en citations de la *République ;* le groupement dépend du
plan assigné à chacun des livres de la *PE,* et des parallèles que
celle-ci découvre entre Platon et « Moïse ».

Comme les autres apologistes — surtout, avant lui, Justin et
Clément d'Alexandrie ; plus tard Cyrille d'Alexandrie et Théodoret, qui lui devront tant — Eusèbe reste fidèle à ce propos :
illustrer le mélange d'ombre et de lumière que le paganisme
offrait à la Révélation. Tantôt Platon lui apparaît comme le
représentant par excellence de la morale païenne et tombe sous
le coup de la même réprobation ; tantôt, le plus souvent
peut-être, il le détache des erreurs de son temps pour en faire le
précurseur des apologistes et leur allié inconscient à des siècles de
distance.

Que représenterait un Platon réduit aux citations d'Eusèbe ?
Ce serait celui du platonisme moyen, où dominent la *République,*
les *Lois* et surtout le *Timée ;* le *Parménide* y figure à peine, alors
qu'il tiendra tant de place et sera si souvent commenté dans le
néoplatonisme de Proclus et de Damascius. J'ai réuni quelques
témoignages à ce sujet dans une note de *Platonismo*[27]. Dès 1932,
A.-J. Festugière écrivait : « On n'a pas assez remarqué peut-être
que les parties les plus admirées, alors, du platonisme, n'en sont
pas la métaphysique, la théorie des Idées et des liens qu'elles
comportent entre elles et avec les choses. Ce qui se répand, dans
cette philosophie composite qui emprunte à la Stoa, au
néopythagorisme, et aussi à l'astrologie et aux mystères, c'est en
quelque sorte un platonisme populaire, le plus facile à entendre :
trait curieux, ce sont les parties que le maître lui-même regardait
comme objet de mythes, et non de science, de dialectique.
Chrétiens et païens sont d'accord. C'est, de part et d'autre, le
même emploi d'une philosophie mêlée de religiosité, mais sans

---

27. *Platonismo e tradizione cristiana,* Milan, 1976, pp. 122-123, citant (en
italien) A.-J. Festugière, dont je reproduis ci-après le texte français, et
E. Gilson, ap. *Les sciences philosophiques et théologiques,* II = *Revue,* XXXI,
1941-1942, p. 252 ; cf. J.H. Waszink, in *Entretiens sur l'antiquité classique,*
Vandœuvres-Genève, III, 1957, pp. 147-149, résumé ap. *Recherches de science
religieuse,* 47, 1959, pp. 276-277.

rigueur doctrinale. Il faut attendre Plotin pour retrouver le sens des vrais problèmes [28]. »

Dans ces conditions, on comprend qu'Eusèbe ait retenu de préférence les textes platoniciens où apparaissait le mieux la personnalité de Socrate [29].

---

28. A.-J. FESTUGIÈRE, *L'idéal religieux des Grecs et l'Évangile,* Paris, 1932, pp. 222-223.

29. A.-M. MALINGREY, « Le personnage de Socrate chez quelques auteurs chrétiens du IVe siècle » (in *Forma futuri. Studi... Mich. Pellegrino,* Turin, 1975, pp. 159-178), pp. 160-167.

II

LES AUTRES PHILOSOPHES

Eusèbe, on le sait, ne cite jamais directement Aristote. Il l'attaque à la suite d'Atticus, le défend avec Aristoclès. Mais le «second Aristote», Alexandre d'Aphrodise, intervient comme un allié des chrétiens dans la polémique antifataliste ; bien qu'il soit postérieur à la plupart des philosophes cités par Eusèbe, signalons tout de suite l'extrait de son *De fato* qui forme, dans la *PE,* le chap. 9 du livre VI[1].

I. LES PRÉSOCRATIQUES

Eusèbe a-t-il connu de première main les présocratiques ?

Xénophane

Ses trois fragments de Xénophane appartiennent à XIII 13, chapitre emprunté au *Ve Stromate* de Clément : ce sont, au § 36, les n°s 23, 14 et 15 de Diels-Kranz, contre l'anthropomorphisme.

Héraclite

Il en va de même pour cinq de ses fragments d'Héraclite, les n°s 30-31 et 32-34 de D.-K. (XIII 13, 31, 39 et 42). C'est aussi de

---

1. Cf. l'édition de *PE* VI («Sources chrétiennes» 266) ; et surtout, pour la place du *De fato* dans l'œuvre d'Alexandre, D. Amand, *Fatalisme et liberté dans l'antiquité grecque,* Louvain, 1945, pp. 135-156.

Clément, mais cette fois du *Protreptique,* que proviennent deux fragments cités en II 3, 36-37 : les n°s 27 et 14 de D.-K. Ailleurs, c'est à travers Plutarque (XI 11, 5) ou Arius Didyme (XV 20, 2) qu'est cité le fr. 12 : « On n'entre pas deux fois dans le même fleuve » ; à travers Plutarque encore, XI 11, 7 = fr. 36 (et 76) D.-K. ; à travers Philon d'Alexandrie, VIII 14, 67 = fr. 118 D.-K. Mras n'indique pas parmi les sources de XIV 3, 8 (le feu principe du Tout) la mention d'Héraclite qui semble se rapporter au fr. 90 D.-K. (54 Marcovich) ; mais l'énoncé pourrait venir d'une doxographie et ne suppose pas forcément un emprunt direct. — Allusions de la *Théophanie* aux fr. 79 ou 83 (I 73 début) et 96 (III 18).

Parménide

De Parménide, Eusèbe cite trois fois le fr. 8 D.-K. : à travers Clément (XIII 13, 39), les vv. 3-4 ; d'après le Pseudo-Plutarque, le v. 4 seul (I 8, 5) ; avec Platon (XIV 4, 6), le v. 38 sous la forme défectueuse de *Théétète* 180 e 1.

Mélissos

De Mélissos, il cite, avec le fr. 2 d'Aristoclès (XIV 17, 7), le fr. 8, §§ 2 et 3 début.

Empédocle

Empédocle n'est pas davantage utilisé de première main. IV 14, 7 = (d'après Porphyre) fr. 128 D.-K., vv. 8-10 ; V 5, 2 = (d'après Plutarque) fr. 115, vv. 1-2 ; au même fr. 115, toujours avec Plutarque, V 4, 2 faisait allusion ; VIII 14, 23 fin cite librement, avec le *De providentia* de Philon (II 24 ; p. 247 Hadas-Lebel), le v. 2 du fr. 121, dont le début, ἔνθα φόνος, commence également le v. 2 de l'*Oracle chaldaïque* 134 ; et ce v. 2 tout entier est exactement cité par J. Lydus, *De mensibus,* IV 159 (p. 176, 24 Wünsch). XIII 13, 4 reproduit (avec Clément) le fr. 147 D.-K. ; et XIV 14, 6, avec le Pseudo-Plutarque, le fr. 6. La *Théophanie* (I 72) fait allusion au fr. 121, comme ailleurs (I 47) au fr. 124.

Anaxagore

Anaxagore fournit deux fois la même citation, un conglomérat des fr. 1 et 12 D.-K., aux livres X (14, 12) et XIV (14, 9) ; au second endroit, elle prépare le grand passage du *Phédon* (97 b sv.) sur Anaxagore et la «conversion» de Socrate, qui remplit XIV 15. La *Laus Constantini* (16, 11 ; p. 253, 23 Heikel) cite, avec φασίν, le fr. 21 a : ὄψις ἀδήλων τὰ φαινόμενα.

II. Contemporains de Socrate

Entre les présocratiques et Socrate, la grande figure est celle de Démocrite, dont la vie est aussi peu connue que celle de Pythagore (celui-ci plusieurs fois mentionné par Eusèbe, mais toujours à travers des témoins, et sans citation possible).

Démocrite

Démocrite est pris à partie (par Oenomaüs) pour son fatalisme ; VI 7, 3 l'accuse de faire du libre arbitre un esclave, comme Chrysippe en fera un «demi-esclave». Un peu plus loin (VI 7, 17), Oenomaüs les interpelle l'un et l'autre, en liant atomisme et fatalité. En XIV 3, 7, Eusèbe lui-même rapproche l'athéisme de Démocrite de celui de Protagoras son disciple ; pour lui, le plein, c'est l'être ; le vide, le non-être [2]. Denys d'Alexandrie (ap. *PE* XIV 23, 3) fournit aux *Fragmente der Vorsokratiker* le témoignage 43 sur les atomes.

Deux des fragments proprement dits de la *PE* viennent également de Denys d'Alexandrie : XIV 27, 4-5 = fr. 118-119 D.-K., sur le hasard ; deux autres appartiennent au Ve *Stromate* de Clément : XIII 13, 27 = fr. 30, sur la prière ; X 4, 23 (ethnologique) = fr. 299, parmi les inauthentiques. Reste le fr. 166 D.-K., dont Plutarque (ap. *PE* V 17, 4) cite l'εὐλόγχων εἰδώλων.

---

2. Mras note l'absence de ces textes dans les *Fragmente der Vorsokratiker* ; il attribue le troisième à Aristoclès, qui serait ici la source d'Eusèbe (*Stellenregister*, p. 445).

Métrodore

Les deux fragments D.-K. de Métrodore de Chios, disciple de Démocrite, proviennent de *PE* XIV 19, 9 ; la doctrine est celle du maître en XIV 3, 7, et Eusèbe rapproche, en XIV 19, 8 et 20, 1, Métrodore et Protagoras, comme précédemment Démocrite et Protagoras.

Protagoras

Métrodore et Protagoras ont en commun de ne croire vraies que les sensations : c'est ce qui ressort de XIV 19, 8 et du titre que ϰ´ (20) porte chez Eusèbe[3]. Celui-ci a été intéressé autant que scandalisé par le subjectivisme athée de Protagoras. La *PE* est la meilleure source de trois des quatre fragments conservés. Le plus célèèbre est le quatrième, cité deux fois : XIV 3, 7, et, un peu plus longuement, XIV 19, 10, mais encore sans la dernière ligne, qui vient de Diogène Laërce, IX 51 : « Des dieux je ne puis dire, ni qu'ils sont, ni qu'ils ne sont pas, ni quelle nature ils ont. Beaucoup de choses empêchent qu'on le sache, et l'obscurité de la question et la brièveté de la vie humaine[4]. » C'est à travers Aristoclès (fr. 5) que la *PE* (XIV 20, 2) cite le premier fragment : « L'homme est la mesure de toutes choses : de celles qui sont, qu'elles sont ; de celles qui ne sont pas, qu'elles ne sont pas » ; Aristoclès ajoute : « Telles les choses apparaissent à chacun, telles elles sont ; quant au reste, nous ne pouvons rien décider » ; et tout naturellement, au § 3, il rappelle la réponse de Platon dans le *Théétète,* en résumant 161 c-162 a[5]. Le fr. 2, lui, vient de la « Leçon philologique » (φιλόλογος ἀϰρόασις) de Porphyre, dont Eusèbe nous a seul conservé les fragments (X 3 ; ici § 25) ; nous y apprenons que dans son traité *De l'être* Protagoras s'en prenait aux partisans de l'unité de l'être ; on ne

3. Cela les rapproche aussi d'Aristippe, de qui Protagoras serait plus près qu'il ne l'est de Métrodore (W.K.C. GUTHRIE, *A History of Greek Philosophy*, III, Cambridge, 1969, p. 496, n. 2).

4. Traduction A. DIÈS, ap. *Platon, Œuvres complètes*, VIII.2, 1924, p. 188, n. 1. Commentaire de W.K.C. GUTHRIE, *ibid.*, pp. 234-235.

5. Sur les diverses interprétations du fr. 1, cf. W.K.C. GUTHRIE, *ibid.*, pp. 188-192.

sait rien de plus de sa position ni du traité, qui paraît indépendant de la *Vérité* et des *Antilogies*[6].

III. Les socratiques

Antisthène

Antisthène n'est cité qu'une fois, dans le chapitre emprunté au *Ve Stromate* de Clément (XIII 13, 35) : « Le socratique Antisthène paraphrase l'Écriture prophétique : A qui m'assimilerez-vous, dit le Seigneur (*Is.* 40, 25), quand il dit : "Dieu ne ressemble à rien (ou : à personne) ; c'est pourquoi personne ne peut se le figurer" (littéralement : "le connaître par une image", ἐκμαθεῖν ἐξ εἰκόνος). Ce témoignage porte le n° 40 C dans l'édition de F. Decleva Caizzi, qui verrait là « une foi monothéiste, peut-être en germe panthéiste » ; et W.K.C. Guthrie retiendrait cette dernière suggestion[7].

Xénophon

Xénophon vient chez Eusèbe (= Clément) immédiatement après : « Celui qui met tout en mouvement en restant immuable a une grandeur et une puissance manifestes, mais quelle est sa forme ? Cela n'apparaît pas. » Le texte de Stobée (*Ecl.,* II 133) est ici plus complet ; celui des *Mémorables* (IV 3, 14) n'a pas la phrase traduite à l'instant. Les autres citations des *Mémorables* dans le *PE* sont des emprunts directs d'Eusèbe : *PE* I 8, 15-16 = *Mém.* I 1, 11 et 13-14, où Socrate dénonce la vanité des recherches sur la nature de l'univers ; cf., plus largement, XV 62, 1-6 = *Mém.* I 1, 11-16. Autre longue citation, sur l'étude modérée des sciences et de la logique : *PE* XIV 11, 1-7 = *Mém.* IV 7, 2-8. C'est aussi l'esprit de la *1re Lettre à Eschine,* qui forme chez Eusèbe le chap. XIV 12. Une allusion, à travers

---

6. Guthrie, *ibid.,* p. 47, n. 1. Sur la *Leçon philologique,* voir ci-après (p. 67-68 et n. 99).

7. Cf. F. Decleva Caizzi, *Antisthenis fragmenta,* Milan, 1966, ap. W.K.C. Guthrie, *ibid.,* p. 249 et n. 2.

Porphyre (X 3, 10), aux *Helléniques,* IV 1, 29-39 (rencontre de Pharnabaze et d'Agésilas).

Aristippe

Aristippe ne figure pas dans le *Stellenregister* de Mras ; cependant, à défaut de fragments textuels, les allusions ne manquent pas : d'abord au principe général que les biens ont pour fin le plaisir, énoncé par le Pseudo-Plutarque ap. *PE* I 8, 9, 1 (= fr. 159 a Mannebach ; cf. les fr. 141 et 144), et par Eusèbe lui-même (XIV 18, 31 = fr. 155 M.), qui l'attribue ensuite à Aristippe le Jeune (XIV 18, 32 = fr. 163 M.). Quand Aristippe estime « les passions seules perceptibles »[8], il se rapproche de Métrodore et de Protagoras, comme Eusèbe l'a bien observé (XIV 2, 4 = fr. 211 a M.), et ici encore Aristippe le Jeune lui fait écho (XIV 18, 32 fin = fr. 210 M.). Le fr. 4 d'Aristoclès réfute cette théorie ; cf. le titre du chapitre de la *PE* (XIV 19) qui nous l'a conservé : c'est le fr. d'Aristippe 212 M.

C'est à Aristippe qu'E. Mannebach (fr. 145) rattache *PE* XV 62, 7-13, où Eusèbe nomme successivement Aristippe de Cyrène et Ariston de Chios. Comme ce dernier est un stoïcien, Mras se refuse à lui attribuer la doctrine du § 7 sur la nécessité des biens extérieurs pour le bonheur, et il penserait au péripatéticien Ariston de Céos[9]. F. Sandbach admettrait qu'il puisse s'agir d'un Ariston ou même des deux, mais en tout cas ne verrait pas ici un extrait des *Stromates* du Pseudo-Plutarque[10].

IV. De Platon à Plutarque

Xénocrate

Après Platon, l'ancienne Académie n'est représentée chez Eusèbe que par un fragment de Xénocrate, 18 Heinze, cité

---

8. πάθη est plus large que « passions » et inclut les « émotions », mais « d'anciennes explications de la doctrine montrent qu'elle s'appuyait sur la sensation pour sa crédibilité » (W.K.C. GUTHRIE, *ibid.,* p. 496, n. 1).
9. Cf. K. MRAS, « Ariston von Keos », in *Wiener Studien,* 68, 1955, pp. 88-98.
10. *Plutarchi Moralia,* VII, Leipzig, 1967, p. 110, notice du fr. 179.

d'après le *Ve Stromate* de Clément au début de XIII 13, 43 : Zeus à la fois suprême (dans la région des êtres transcendants, dit Plutarque) et au bas de l'échelle (dans le monde sublunaire d'après Plutarque) [11]. Avec Plutarque, Eusèbe mentionne Xénocrate à propos des démons : V 5, 1 = fr. 24 H.

Cléarque

Parmi les premiers péripatéticiens, Cléarque a intéressé Eusèbe par sa rencontre avec un Juif, et IX 5 cite, d'après le *Contre Apion* de Josèphe (I 22 ; fr. 6 Wehrli) une page de son traité *Du sommeil*. D'après le *Ier Stromate* de Clément reproduit IX 6, 2 (= fr. 5 Wehrli), ce Juif aurait été disciple d'Aristote comme Cléarque lui-même.

Deux des fondateurs du stoïcisme ont trouvé place dans la *PE,* mais indirectement.

Cléanthe

Cléanthe est cité en XIII 13, d'après le *Ve Stromate* de Clément, aux §§ 38, sur les attributs du bien [12], et 39, contre la vaine gloire. Ce ne sont pas ses meilleurs titres à une réputation de poète ; l'*Hymne à Zeus* est d'une autre venue, mais c'est à Stobée, non à Eusèbe, que nous devons de le lire.

Chrysippe

Les fragments de Chrysippe que A. Gercke a tirés d'Oenomaüs et surtout de Diogénien appartiennent aux chapitres correspondants des l. IV et VI : VI 7, 2 et 23-24 pour Oenomaüs, IV 3 et VI 8 pour Diogénien. Les références aux éditions

---

11. *Platonicae quaestiones*, 9, 1, 1007 f. La note de la Loeb Classical Library réunit la bibliographie récente ; H. Cherniss y voit dans le « Zeus inférieur » Zeus chtonien ou Hadès, dont le domaine s'étend au monde sublunaire ; le « Zeus suprême » serait la monade (*Plutarch's Moralia*, XIII.1, 1976, pp. 92-93).

12. Comparaison de ce fragment et du passage apparenté du *Livre de la Sagesse* ap. *Biblica*, 57, 1976, pp. 414-419 : *Épithètes et attributs de la « Sagesse » (Sg 7, 22-23 et SVF I 557 Arnim)*.

d'A. Gercke et de H. von Arnim se trouvent dans l'édition des
«Sources chrétiennes», notices et apparats; il s'agit toujours
d'arguments antifatalistes, seuls intéressants pour Eusèbe dans ce
contexte.

Boèthus

C'est probablement le stoïcien Boèthus de Sidon (v. 120 a.C.)
qui paraît dans la *PE* à travers le *De anima* de Porphyre (XI 28);
mais la répartition des fragments entre exposés de Porphyre et
citations de Boèthus reste incertaine; on ne discerne pas
nettement ce qui appartient à l'adversaire de Porphyre.

V. PLUTARQUE

Avec Plutarque nous arrivons aux deux premiers siècles de
l'ère chrétienne; malgré des noms comme ceux de Sénèque et
d'Épictète, le stoïcisme perd du terrain au profit du platonisme,
c'est-à-dire du platonisme moyen auquel Eusèbe se sent
particulièrement accordé. Or de ce platonisme moyen Plutarque
est peut-être le premier représentant, sinon le fondateur.

Eusèbe nous a conservé (XI 36, 1) un fragment du *De anima*,
176 Sandbach, récit de mort apparente qui confirme, aux yeux de
Plutarque, la foi de Platon en la résurrection (chap. 35, qui cite le
mythe d'Er); Théodoret reproduira en partie l'anecdote (XI 46),
également à la suite du mythe d'Er. Nous devons aussi à la *PE* les
deux fragments des *Daidala de Platées* (III 1 = fr. 157 Sandbach; III 8, 1 = fr. 158 Sandbach); le premier est un mythe cité
intégralement par Eusèbe pour en dauber la «physiologie», mais
dont le charme ne peut échapper au lecteur moderne; le second,
sur les statues anciennes, contient quatre vers de Callimaque [13].
Dans sa lutte contre les oracles, l'apologiste revient souvent au
De defectu oraculorum : le chap. 4 en cite les §§ 10 (414 f-415 b),
12 (416 c), 13-14 (417 b-d), 16 (418 e); V 5, 3 = 21, 421 b-e;
plus loin V 16, 2-4 = 5, 411 d-f; V 17, 1-12 = 16-18, 418 e-420 a

13. Traduits et commentés dans mon édition des livres II-III (Sources
chrétiennes 228), 1976.

(la mort du grand Pan). L'*E de Delphes* fournit le texte sur Dieu et l'être (§§ 17-20, 391 f-393 b) qui forme le chap. XI 11 et prête à comparaison avec le fr. 13 (22 Leemans) de Numénius [14].

Avec les *Daidala de Platées* et les dialogues delphiques, c'est le *De Iside et Osiride* qui attire le plus Eusèbe. En III 3, pour s'en faire un allié contre les représentations des dieux, il rapporte, au § 11, une phrase du § 32 (363 d), puis, au § 16, une autre du § 22 (359 e), qui termine l'attaque contre l'évhémérisme. Mais ce sont les §§ 25-27 qu'il met le plus à contribution : entre deux extraits du *De defectu oraculorum,* V 5, 1 = 25, 360 d-f ; V 5, 2 = 26 fin-27 début, 361 c-d.

La *Vie de Romulus* (28, 6 fin) a pu fournir à Eusèbe (*PE* V 34, 2, d'après Oenomaüs) le premier des deux vers de la Pythie sur le pugiliste Cléomède ; mais il le trouvait avec le second chez Pausanias, et c'est plutôt l'ensemble de l'anecdote (§§ 5-6) qui a pu l'inspirer.

Eusèbe a puisé aussi dans ce que nous appelons le Pseudo-Plutarque. Diels et après lui F.H. Sandbach lui reprochent d'avoir attribué au Plutarque authentique les *Stromates* (Στρωματεῖς), « compilation puérile » qui forme, en I 8, les §§ 1-2 [15]. Je l'ai mentionnée ci-dessus une fois ou l'autre ; Mras, qui incline à l'authenticité (II, p. 459), y rattache XV 62, 7-13, dont la source reste obscure [16]. Aux *Placita philosophorum,* qui remontent à Aétius (Ier siècle ?), Eusèbe emprunte trois longs morceaux, le premier en XIV 14, 1-6 : Thalès (§ 1 = 875 d-f), Anaximandre (§ 2 = 875 f-876 a), Anaximène (§ 3 = 876 a-b), Héraclite et Hippasus de Métaponte (§ 4 = 877 c-d), Épicure (§ 5 = 878 d-f), Empédocle (§ 6 = 878 a) ; le second en XIV 16, 1-10, sur les dieux (= 880 d-e, 881 a-882 a) ; le troisième en XV 23, 1-61, 10. Ici les opinions de divers philosophes sont groupées sous des titres comme « le soleil » (§ 23),... « la lune » (§ 26)... et l'ordre diffère de celui de « Plutarque » : 878 c-879 c, qui dans les *Placita* suivent presque immédiatement le premier

---

14. Voir, dans l'édition des Universités de France (1973), la n. 2 de ce fragment (p. 108).

15. Cf. H. DIELS, *Doxographi graeci,* Berlin, 1879, p. 156 ; F.H. SANDBACH ap. *Plutarchi Moralia,* VII, Leipzig, 1967, p. 110, et *Plutarch's Moralia,* XV, Londres, 1969, pp. 324-326.

16. Ci-dessus, p. 43.

extrait d'Eusèbe, ne forment chez lui que les chap. 32-33. Auparavant les chap. 24-31 correspondent chez le Pseudo-Plutarque à 888 d-889 a, 889 f-890 d, 891 b-e, et encore avec des chevauchements. A partir du chap. 34, nouveau retour en arrière : 34-42 = 886 d-888 b, dans l'ordre et avec des titres le plus souvent identiques. Mais 43-45 ramènent à 882 b-e ; 46-49 = 889 a-d ; 50 = 890 f-891 b ; 51-54 = 891 e-892 c ; 55-57 = 895 c-e ; 58 = 896 a-b ; 59 = 896 f-897 a ; 60-61, 10 = 898 e-899 b [17].

Le pseudépigraphe *De vita et poesi Homeri* contient deux oracles que la *PE* (V 33, 3 et 15) cite à travers Oenomaüs, — qui les attribue à Homère, — sous une forme un peu différente [18].

VI. Arius Didyme

Situons ici, pour leur lien avec le Pseudo-Plutarque, les cinq extraits d'Arius Didyme, le philosophe « aulique » de l'empereur Auguste, dont les *Placita Platonis* (*Epitome*) sont à l'origine de toutes les doxographies postérieures [19]. XI 23, 3-6 cite, à la suite de *Timée* 29 a-b et 30 c-d, un texte sur les Idées que Diels met en tête de son édition comme fr. 1 [20]. Les autres extraits, qu'Eusèbe est à peu près seul à nous conserver, appartiennent au l. XV et concernent Dieu (XV 15 = *Epit.* fr. 29 D.), le Tout (XV 18 = fr. 36 ; XV 19 = fr. 37), l'âme (XV 20 = fr. 39).

---

17. Mras ne renvoie qu'aux *Doxographi graeci* ; on lira maintenant les *Placita philosophorum* dans l'édition de J. Mau : *Plutarchi Moralia,* V.2.1, Leipzig, 1971, pp. 50-153 ; ils manquent dans la Loeb Classical Library ; au début du t. XI des *Plutarch's Moralia* (1965, p. vii), une « Prefatory Note » en avertit : « Il n'est pas possible en ce moment d'inclure Aétius, *De placitis philosophorum,* 874 d-911 c, que l'on a coutume de trouver dans les éditions de Plutarque. » Sur l'inauthenticité, résumé des preuves ap. K. Ziegler, in *R-E,* XXI, 1951, c. 879-880.

18. Sur l'inauthenticité, cf. K. Ziegler, *op. cit.,* c. 876-877.

19. Cf.H. Diels, *Doxographi graeci,* Berlin, 1879, pp. 69 sv.

20. *Ibid.,* p. 447 (en face du texte d'Arius, celui, parallèle jusqu'à l'identité, d'Albinus, *Epitome,* 12, 1 ; cf. Diels, p. 76 ; H. Dörrie, in *R-E,* Suppl.-Bd 12, 1970, c. 17, l. 1 sv.). Le *Didaskalikos* d'Albinus serait-il une « nouvelle » édition des *Placita Platonis* d'Arius Didyme ? Cf. J. Dillon, *The Middle Platonists,* Londres, 1977, p. 269. Sur les fr. 1 et 39 D., cf. P. Moraux, *Der Aristotelismus bei den Griechen...,* I, Berlin, 1973, pp. 259-260.

VII. Apollonius de Tyane

Le thaumaturge Apollonius de Tyane, néopythagoricien de la
IIe moitié du Ier siècle, doit à la *Vie* écrite au IIe siècle par le
second Philostrate une renommée qui s'est maintenue jusqu'à
nos jours. Une des raisons de ce succès a été la comparaison du
héros avec le Christ, comparaison exploitée et poussée à
l'extrême par le Hiéroclès que réfuta Eusèbe[21]. Plus sérieux est
l'extrait de son *Péri thusiôn* que citent la *Préparation évangélique*
(IV 13) et, sans la phrase finale, la *Démonstration* (III 3, 11).
Apollonius, comme le Porphyre du *De abstinentia* cité immédiatement avant et après par Eusèbe (*PE*, IV 12 et 14, 1), y rejette
toute forme de sacrifices. On trouvera la traduction et le
commentaire de ce fragment dans le volume des «Sources
chrétiennes» (*PE* IV-V 17) dû à O. Zink. Il avait été déjà
traduit en français par E. de Faye (*Origène*, II, Paris, 1927,
p. 198); en anglais par F.C. Conybeare (*Philostratus, The Life of
Apollonius of Tyana,* Loeb Cl. Libr., I, 1912, pp. xiv-xv); en
allemand par E. Norden, qui le commente et en donne une
analyse rythmique dans *Agnostos Theos* (Leipzig, 1913, pp. 39-
40 et 343-345).

VIII. Le platonisme moyen du IIe siècle après Jésus Christ

1. *Numénius*

Tous les fragments proprement dits de Numénius appartiennent à la *Préparation évangélique;* à l'exception d'une ligne qui
nous est venue aussi par Clément d'Alexandrie (fr. 8; test. 1
Leemans), seul Eusèbe les a conservés. Ce n'est pas un mince
mérite; avec Porphyre au IIIe siècle, Numénius, dont la chronologie dans le IIe demeure incertaine[22], représente plus que Plotin le
platonisme de cette époque[23].

---

21. Sur le *Contre Hiéroclès,* voir ci-après, p. 139.
22. Sur la date de Numénius (seconde moitié du IIe s. p.C. ou peut-être même
la première), cf. *Numénius. Fragments* (coll. des Univ. de France), Paris, 1973,
p. 7 et n. 2; *Atticus. Fragments (ibid.),* 1977, pp. 19-20.
23. Cf. H.D. Saffrey, «Un lecteur antique de Numénius : Eusèbe de

Grâce à Eusèbe, qui les indique d'ordinaire, l'éditeur moderne peut rattacher les citations du Περὶ τἀγαθοῦ aux livres respectifs. Mais la *PE* ne s'astreint pas à l'ordre des livres du traité : pour exposer la théologie du premier dieu et du deuxième, elle puise dans les livres II et IV-VI ; pour éclairer le passage de la *République* sur le Bien au-delà de l'être, dans les livres I, V et VI (fr. 11, 25 et 29 L. ; 2, 16 et 20 des Pl.). « Ce détail... témoigne de la lecture extensive du traité de Numénius par Eusèbe, ou sa source, pour extraire de trois livres différents les passages se rapportant au même texte de Platon [24]. »

H.D. Saffrey, que je viens de citer, a fait une autre constatation : la plupart des emprunts du Π.τἀγαθοῦ suivent immédiatement des extraits du *Timée* dont elles forment comme le commentaire [25]. Dans le l. XI de la *PE*, consacré à la théologie platonicienne, le chap. 9 réunit deux passages sur l'être et le temps, et le chap. 10 quatre fragments (14-17 L. ; 5-8 des Pl.) du l. II de Numénius. Après avoir cité, en XI 16, deux textes de l'*Epinomis* et de la *VIe Lettre,* Eusèbe cite, au chap. 17, « Plotin sur la seconde cause », puis, au chap. 18, « Numénius sur la seconde cause » ; ce sont les fr. 20-24 L., 11-15 des Pl. Comme Leemans, je les rattachais aux « livres IV ou V » ; mais « il y a tout lieu de penser que ces fragments viennent eux aussi du deuxième livre..., puisque vers la fin de ce chap. 18, Eusèbe ajoute deux autres fragments en prenant soin de nous dire qu'ils viennent du livre VI » [26].

Si la plupart des fragments du Π.τἀγαθοῦ se trouvent au l.XI de la *PE*, deux autres groupes appartiennent aux livres IX et XV. Le l. IX cite deux fragments : IX 7, 1 = 1 a (9 L.) sur l'ἀναχώρησις, « retour » à Pythagore et aux « peuples de renom » [27] ; IX 8, 12 = 9 (18 L.) sur Jannès, Jambrès, Musée

Césarée » (in *Forma futuri. Studi... Mich. Pellegrino,* Turin, 1975, pp. 145-153), p. 149, n. 6.

24. ID., *ibid.,* p. 152.

25. ID., « Les extraits du Περὶ τἀγαθοῦ de Numénius dans le l. XI de la *Préparation évangélique* d'Eusèbe de Césarée », ap. *Studia patristica,* XIII, Berlin, 1975, pp. 46-51.

26. ID., *ibid.,* pp. 46-47.

27. Cf. J.C.M. VAN WINDEN, ap. *Kyriakon. Festschrift J. Quasten,* Münster Westf., 1970, I, p. 207 (cité dans *Numénius. Fragments,* pp. 22-23) ; H. DÖRRIE, deux articles non repris dans *Platonica minora,* Munich, 1976 (cf. cependant

(= Moïse). XV 17 oppose le platonisme à la théorie stoïcienne de la corporéité de l'être : §§ 1-2 = fr. 3 (12 L.) ; §§ 3-8 = fr. 4 a (13 L.) [28].

Le « second dieu » du *De bono* satisfaisait une exigence profonde de la théologie d'Eusèbe : comme tout le platonisme moyen, il tient que « la transcendance de Dieu requiert un être intermédiaire entre Lui et le monde » [29]. Il cherche, sans toujours y réussir, à concilier cette conception philosophique avec la foi chrétienne en un Verbe divin, seconde personne de la Trinité. Le « second dieu » de ses modèles grecs semble avoir fait tort à son orthodoxie.

Par un autre aspect, Numénius devait l'intéresser. Les origines sémitiques de ce philosophe, qui appelait Platon « un Moïse parlant attique » [30], expliquent peut-être sa curiosité de l'Ancien Testament [31] : le Dieu « sans partage » des Juifs [32], le nom de « Celui qui est » [33], le récit de la création dans la Genèse [34].

Les fragments les plus longs viennent du traité sur l'infidélité de l'Académie à Platon (*PE* XIV 4-8 = fr. 1-8 L., 24-28 des Pl.) ; comme tout le livre XIV de la *PE*, ils concourent au dessein apologétique d'Eusèbe en illustrant avec humour les contradictions des philosophes, dont un chapitre antérieur (XIV 2) donnait une première idée : Eusèbe ne perd jamais de vue le propos de son ouvrage.

Reste l'unique extrait des « Secrets de Platon » : XIII 4, 4-5,

---

p. 207, n. 140) : « Die Wertung der Barbaren im Urteil der Griechen » (*Antike und Universalgeschichte. Festschrift H.E. Stier,* Münster, 1972, pp. 146-175) ; « Platons Reisen zu fernen Völkern » (*Romanitas et Christianitas. Studia J.H. Waszink,* Amsterdam & Londres, 1973, pp. 99-118).

28. Cf. H.D. SAFFREY, in *Forma futuri,* p. 151.

29. D.S. WALLACE-HADRILL, *Eusebius of Caesarea,* Londres, 1960, p. 128. Je résume ici les pp. 31-32 de *Numénius. Fragments,* où l'on trouvera les développements d'A. Dempf et de F. Ricken.

30. C'est la « ligne » qui nous est venue deux fois par Eusèbe : directement XI 10, 14 ; d'après Clément, IX 6, 9.

31. Cf. « Numénius et la Bible » (*Homenaje a Juan Prado,* Madrid, 1975, pp. 497-502) ; « Du Dieu jaloux au Nom incommunicable » (*Hommages à Cl. Préaux,* Bruxelles, 1975, pp. 338-342).

32. Cf. « Le Dieu incertain des Juifs » (*Journal des savants,* 1973, pp. 289-294) ; « Un terme biblique et platonicien, ΑΚΟΙΝΩΝΗΤΟΣ » (*Forma futuri... Mich. Pellegrino,* Turin, 1975, pp. 154-158).

33. Fr. 13 (22 L.) ; cf. *Exode,* 3, 14.

34. Fr. 30 (test. 46 L.) ; cf. *Genèse,* 1, 2.

2 = fr. 30 L., 23 des Pl. Numénius y commente une page de
l'*Euthyphron* de Platon (5 e-6 c) qu'Eusèbe vient de citer en
XIII 4, 1-4. Il « explique à sa manière pourquoi Platon met dans
la bouche d'Euthyphron sa propre critique du mythe de Zeus et
de Kronos, pour ne point connaître le même destin que Socrate.
Le passage de l'*Euthyphron* est un texte dans lequel Platon
lui-même critique les traditions religieuses des Grecs, ce qui dans
l'esprit d'Eusèbe et de son lecteur les diminue d'autant au profit
de la théologie des Hébreux, et le commentaire de Numénius
appuie l'interprétation d'Eusèbe en justifiant Platon tout en
ménageant l'existence d'une autre sorte de théologie qui ne soit
plus mythique, ni allégorique, mais philosophique. Ce sera celle
du néoplatonisme qui va venir »[35].

2. *Atticus*

Comme pour Numénius, tous les fragments proprement dits
viennent de la *Préparation évangélique ;* ils constituaient à peu
près seuls l'édition de J. Baudry (1931) ; on les retrouve au début
de celle des Universités de France[36], avec la même numérotation, qui était déjà celle des *Fragmenta philosophorum graecorum* de Mullach. Atticus paraît s'être servi de Numénius, et c'est
une raison pour l'étudier à la suite de son devancier.

Atticus avait commenté le *Timée,* peut-être aussi le *Phèdre* et
les *Catégories* d'Aristote. Mais les fragments conservés par
Eusèbe appartiennent tous au traité intitulé : « Contre ceux qui
se flattent d'interpréter Platon par Aristote » ; Atticus s'y refuse à
tout éclectisme qui chercherait à concilier les deux philosophies.
Le commentaire du *Timée* nous est connu presque uniquement
par Proclus et Philopon.

Sur bien des points, Atticus prend la position de Plutarque et
surtout, comme lui, fait naître le monde. Faut-il dire qu'il le fait
commencer *dans le temps ?* Plutarque semble éviter cette
précision, sans doute parce qu'il croit comme Platon que le temps

---

35. H.D. SAFFREY, in *Forma futuri...*, pp.150-151.
36. Cf. *Atticus. Fragments,* texte établi et traduit par E. des PLACES (coll. des
Univ. de France), Paris, 1977. Je résume ci-après la *Notice.*

est apparu avec le monde [37]. Atticus l'admettrait aussi, grâce à sa
distinction d'un temps cosmique et d'un temps précosmique, lié
au chaos primitif [38]. Si Proclus attribue les deux temps à
Plutarque, c'est qu'il l'interprète à travers Atticus [39]. Mais ce
n'est pas tant sur cette question qu'Atticus en veut à Aristote (ici
d'ailleurs nous sommes réduits aux « témoignages » de Proclus et
de Philopon) ; les accusations reproduites par Eusèbe « relèvent
de quatre chefs : le souverain bien (XV 4 = fr. 2), la Providence
(XV 5 = fr. 3), l'éternité du monde (XV 6 = fr. 4), la doctrine
de l'éther quinte essence (XV 7 = fr. 5), les êtres célestes
(XV 8 = fr. 6), la destinée de l'âme (XV 9 = fr. 7) ; et (après
deux extraits de Plotin et de Porphyre, XV 10-11, sur l'âme
entéléchie) l'âme du monde (XV 12 = fr. 8) et le rejet des Idées
(XV 13 = fr. 9) » [40].

Ennemi de toute conciliation quand il se préoccupe d'opposer
Platon et Aristote, Atticus l'est moins que Numénius sur des
points que celui-ci regardait comme essentiels. D'une manière
générale, il a tendance à simplifier la pensée de Platon. Par
exemple, sans entrer dans les distinctions de la *République* et du
Timée, il garde la conviction que l'âme entière est immortelle [41].
Alors que Numénius séparait le Père et le démiurge, il les
identifie, et sur cet unique Créateur et Père il accumule les
prédicats théologiques, ce dont Arius se souviendra [42]. Les
réminiscences d'Atticus chez Arius n'étaient pas pour diminuer
Atticus aux yeux d'Eusèbe. Peut-être une certaine sympathie de
celui-ci explique-t-elle en partie la place relativement considé-
rable que tient dans la *Préparation évangélique* le traité conservé
par elle.

---

37. Cf. M. BALTES, *Die Weltentstehung des platonischen Timaios nach den
antiken Interpreten,* I (« Philosophia antiqua », 30), Leyde, 1976, p. 43 et n. 80.
38. ID., *ibid.,* p. 46.
39. ID., *ibid.,* p. 44.
40. A.-J. FESTUGIÈRE, *L'idéal religieux des Grecs et l'Évangile,* Paris, 1932,
p. 257.
41. Cf. *Atticus. Fragments,* p. 22.
42. *Ibid.,* p. 25 ; cf. G.C. STEAD, « The Platonism of Arius » (*Journal of
Theological Studies,* N.S. 15, 1964, pp. 16-31), surtout p. 23, n. 1 et p. 31.

3. *Aristoclès*

Ce n'est pas par sectarisme, en effet, qu'Eusèbe a si largement cité un adversaire d'Aristote. Pour la personne même du philosophe, il n'éprouve que du respect ; il s'indigne de le voir attaqué par ses propres disciples et préfère « reproduire les défenses que fit de son maître le péripatéticien Aristoclès au VIIᵉ livre de son traité *De la philosophie* » [43].

Aristoclès de Messine, maître d'Alexandre d'Aphrodise, vivait au IIᵉ siècle de notre ère. C'est encore au seul Eusèbe que nous devons les fragments des livres VII et VIII de son Περὶ φιλοσοφίας [44], où, dans une langue excellente, il concilie aristotélisme et platonisme, aristotélisme et stoïcisme [45] : syncrétisme plutôt que synthèse, car l'auteur manque d'originalité et de puissance créatrice.

Le fr. 1 Mullach (XI 3) résume la philosophie de Platon. Les fragments de *PE* XIV défendent la sensation contre Xénophane et Parménide (XIV 17 = fr. 2 M.) ; la perception en général contre les pyrrhoniens (XIV 18 = fr. 3 M.), puis contre Aristippe et les cyrénaïques, pour qui les seules passions en sont l'objet (XIV 19 = fr. 4 M.) ; mais aussi l'intellection contre le sensualisme de Métrodore et de Protagoras (XIV 20 = fr. 5 M.), la vertu contre l'hédonisme d'Épicure (XIV 21 = fr. 6 M.). Au livre XV, le chap. 2 est la défense d'Aristote (dont l'introduction en XV 1, 13 a été traduite ci-dessus) contre les calomnies du mégarique Eubulide, du disciple d'Isocrate Céphisodore, du prétendu pythagoricien Lycon : le court chap. 14 (= fragment 8 Mras), « Comment Zénon rendait compte des principes », ne concerne que le stoïcisme.

---

43. *PE*, XV 1, 13 ; cf. A.-J. Festugière, *L'idéal...*, p. 256.

44. Mras ne cite pas *Aristoclis Messenii reliquiae*. Dissertation... Giessen... von Hermann Heiland, Giessen 1925 (mais le texte est resté celui de la « défense de thèse », 1913). Heiland compte huit fragments, qui ne se recouvrent pas exactement avec les sept de Mullach ; et le huitième de Mras (XV 14, 1-2), sur les stoïciens, manque dans les deux recueils précédents ; cf. K. Mras, « Die Stellung der PE des Eusebius im antiken Schrifttum » (ap. *Anzeiger der ph.-h. Kl. der Oesterr. Akad. d. Wiss.*, 1956, Nr. 17, pp. 209-217), p. 215 et n. 5 ; il n'avait cependant pas échappé à E. Zeller (*Die Philosophie der Griechen*, III.1.1⁵, 1923, p. 814, n. 2).

45. Cf. P. Merlan, ap. A.H. Armstrong, *The Cambridge History of Later Greek and Early Medieval Philosophy*, Cambridge, 1967, pp. 116-117.

4. *Oenomaüs*

Encore un legs exclusif d'Eusèbe à la postérité, et non moins étendu que les trois précédents : les chap. 19-36 du livre V et le chap. 7 du livre VI de la *PE* qui nous ont transmis une partie de ses *Charlatans démasqués* occupent une quarantaine de pages, autant que ses contemporains du IIᵉ siècle Numénius, Atticus et Aristoclès de Messine. De ce fait déjà, Oenomaüs méritait une édition spéciale de ses fragments. Il l'a eue par les soins de P. Vallette[46]. Les fragments du livre V appartiennent à la polémique antioraculaire ; celui du livre VI, à la polémique antifataliste qui remplit le livre. Par son dilemme de la Fatalité ou de la divination impossible, Oenomaüs offrait au chrétien une alliance compromettante ; Eusèbe cependant n'hésite pas à lui emprunter ses arguments[47].

5. *Diogénien*

Diogénien est encore de ces philosophes du IIᵉ siècle après J.C. que nous ne connaîtrions pas sans la *PE* ; c'est un épicurien plutôt qu'un péripatéticien[48], qui avait écrit un Περὶ εἱμαρμένης où il s'en prend au fatalisme absolu de Chrysippe et soutient la liberté de nos actes dits volontaires[49].

Dans la *PE*, le chapitre qui lui est consacré (VI 8) suit immédiatement l'extrait antifataliste d'Oenomaüs ; Eusèbe ne peut qu'applaudir à leur argumentation.

6. *Sévère*

L'unique fragment qui nous soit resté de ce platonicien du IIᵉ siècle, dont nous ignorons tout[50], est encore dû à Eusèbe

---

46. P. VALLETTE, *De Oenomao Cynico*, Paris, 1908.

47. Cf. A. BOUCHÉ-LECLERCQ, *Histoire de la divination dans l'antiquité*, I, 1879, pp. 92 sv., ap. M. CASTER, *Lucien et la pensée religieuse de son temps*, Paris, 1937, p. 230.

48. Cf. A. GERCKE, *Chrysippea* (*Jahrbücher für cl. Philol. Suppl.-Bd.* 14, 1885, pp. 689-781), pp. 701-703 ; H. DÖRRIE, ap. *Der kleine Pauly*, II, 1967, c. 48, s.v. «Diogenianos 1».

49. Cf. D. AMAND, *Fatalisme et liberté dans l'antiquité grecque*, Louvain, 1945, pp. 120-126.

50. Voir la courte notice de H. DÖRRIE, ap. *Der kleine Pauly*, V, 1975, c. 153,

(XIII 17). Le titre même du chapitre en indique le contenu :
« que la nature de l'âme n'est pas composée d'une essence
impassible et d'une autre passible. » Or c'est cette composition
que Platon s'est cru obligé d'admettre dans le *Timée* (41 d) ; en
quoi il ébréchait le dogme essentiel rappelé au § 4 : « l'âme n'est
pas une troisième réalité composée de deux contraires ; elle est
simple, impassible de par sa nature, incorporelle ; voilà pourquoi
Platon et son école l'ont déclarée immortelle. » Et qu'on ne dise
pas que certains platoniciens abandonnaient cette immortalité :
la phrase du fr. 7 d'Atticus (*PE* XV 7, 2) qu'on a interprétée
dans ce sens, en rapportant σχεδόν à (τὴν) πᾶσαν (αἵρεσιν),
peut s'entendre autrement, en le faisant porter sur toute la
proposition ; je traduis ainsi : « C'est là presque l'unique lien de
toute l'école du grand homme[51]. »

Eusèbe invoque ici le disciple contre le maître, Sévère contre
Platon ; dans le chapitre précédent (XIII 16), il dénonçait les
erreurs du philosophe relatives à l'âme. C'est un nouvel exemple
de sa méthode : dresser les sages païens les uns contre les autres,
et relever leurs contradictions.

7. *Sextus Empiricus et Alexandre d'Aphrodise*

Pour en finir avec le IIᵉ siècle et bien qu'il ne s'agisse plus de
platoniciens moyens, mentionnons, en raison d'une courte
citation d'Eusèbe, le sceptique Sextus Empiricus, qui vivait aux
IIᵉ-IIIᵉ siècles. Avant les longs extraits de Numénius destinés à
montrer « l'infidélité de l'Académie à Platon », Eusèbe reproduit
une phrase des *Esquisses pyrrhoniennes* (I 220 = *PE* XIV 4, 16)
sur la « quatrième Académie » de Philon de Larisse et la
« cinquième » d'Antiochus d'Ascalon. Numénius, en effet,
attribue à Antiochus « l'inauguration d'une cinquième Académie » (XIV 9, 3 ; fr. 28 des Pl., 8 L.).

s.v. « Severos » ; plus détaillé : J.M. DILLON, *The Middle Platonists*, Londres,
1977, pp. 262-264. Cf. G. MARTANO, *Due precursori del neoplatonismo*, Naples,
[1958 ?], pp. 9-21 et 63-68.
  51. Cf. M.O. YOUNG, « Did some Middle-Platonists deny the immortality of
the soul ? » (*Harv. Theol. Rev.*, 68, 1975, pp. 58-60), avec Gifford et contre
C. Andresen, « Justin und der mittlere Platonismus » (*ZNTW*, 44, 1952/53,
pp. 158-195), p. 162, n. 19.

A Alexandre d'Aphrodise Eusèbe emprunte le chap. 9 du livre VI, sur le destin.

IX. Le IIIᵉ siècle. Plotin et son cercle

1. *Plotin*

La *PE* ne cite Plotin qu'en trois endroits ; nous avons déjà dit, avec H.D. Saffrey, qu'au IIIᵉ siècle c'étaient Numénius et Porphyre, beaucoup plus que Plotin, qui représentaient le platonisme [52].

Eusèbe n'en est pas moins, pour le texte des *Ennéades,* un témoin de premier ordre. Une section entière ne nous est connue que par lui ; c'est IV 7, 8⁵ (IV 203-205 Bréhier, II 208-212 Henry-Schwyzer 1959), et le chapitre de la *PE* qui nous l'a conservée (XV 10) est suivi, un peu plus loin, de tout le début du livre IV 7 des *Ennéades* (XV 22 = IV 7, 1-8⁴ ; IV 189-203 Bréhier, II 176-208 Henry-Schwyzer). Dès ses premiers travaux sur Plotin, P. Henry avait édité ces sections [53], et la conclusion de ses *Recherches* est « qu'Eusèbe eut entre les mains, non les *Ennéades* ou recension de Porphyre, mais une autre édition des œuvres du maître, qu'il est sage d'identifier avec la recension perdue d'Eustochius » [54]. En conséquence, « partout où le texte d'Eusèbe confirme la leçon des mss de Plotin…, nous sommes en présence du texte original de Plotin » [55].

Cette conclusion peut s'étendre à « l'état original et primitif » [56] du traité V 1 « sur la seconde cause », dont Eusèbe cite en XI 17 quatre courts extraits : § 1 = (*Enn.* V 1) 4, 1-9 ; § 2 = 5, 3-7 ; §§ 3-7 = 6, 27-44 ; § 8 = 6, 50-7, 2. Auparavant, toujours « sur la seconde cause », Eusèbe citait Philon (chap. 15) et Platon

---

52. Ci-dessus, p. 48 et n. 23.
53. Cf. surtout P. Henry, *Études plotiniennes.* I, *Les états du texte de Plotin,* Paris et Bruxelles, 1938, pp. 77-124 (pour IV 7, 1-8⁵) et 125-140 (pour V 1, 2-8).
54. Id., *Recherches sur la* PE *d'Eusèbe et l'édition perdue des œuvres de Plotin publiée par Eustochius* (Bibl. de l'Éc. des H.É., sc. relig., 50), Paris, 1935, p. x.
55. Id., *ibid.,* p. 79.
56. Id., *ibid.,* p. 79, n. 3. Réserves de H. Dörrie sur l'hypothèse que l'édition d'Eustochius est le Plotin d'Eusèbe : *Gnomon,* 36, 1964, pp. 464-469.

(*Epinomis, Lettre* VI ; chap. 16) ; au chap. 18, il citera beaucoup plus longuement Numénius.

Plotin se trouve ainsi bien encadré. Eusèbe n'aligne pas ses extraits au petit bonheur ; à propos de XV 10 (sur l'immortalité de l'âme), on a noté «qu'après avoir présenté l'objection d'Atticus à la psychologie d'Aristote (XV 9), il continue par un extrait de Plotin ; manifestement, il jugeait bien la ressemblance des attitudes d'Atticus et de Plotin»[57].

2. *Amélius*

En quelques pages sympathiques, P. Henry fait d'Amélius «le personnage qui a *organisé* l'école de Plotin et qui, en l'organisant, a permis à la philosophie néoplatonicienne de pénétrer le monde romain»[58]. Nous savons par Porphyre qu'il fut vingt-quatre ans l'élève de Plotin ; un élève laborieux, qui «avait appris presque par cœur la plupart des livres de Numénius»[59], et un défenseur intrépide de l'originalité du maître : comme on accusait Plotin de plagier Numénius, il composa pour le disculper un traité «De la différence entre les opinions de Plotin et celles de Numénius», qu'il dédia à Porphyre avec une lettre d'envoi reproduite par celui-ci[60]. Porphyre cependant le supplanta dans la confiance de Plotin, qui le prit pour légataire universel et le chargea de publier les *Ennéades*. L'édition de Porphyre pourrait avoir été précédée par celle d'Eustochius, dont nous avons parlé à propos de Plotin et qui serait la source d'Eusèbe ; Amélius avait réuni les éléments d'une autre, et P. Henry lui-même reconnaît qu'en rigueur il faudrait dire «non-porphyrienne» l'origine des extraits de Plotin cités par Eusèbe[61].

La *PE* ne cite d'Amélius que quelques lignes, mais d'importance : elles contiennent une allusion au prologue johannique et un commentaire de cette conception du Logos

57. P. Merlan ap. A.H. Armstrong, *Later Greek...* (v. n. 45), p. 75 ; cf. P. Henry, *Recherches...*, 1935, p. 78, n. 1.
58. P. Henry, *Plotin et l'Occident,* Louvain, 1934, p. (3-)6.
59. Porphyre, *Vie de Plotin,* 3 (§ 21 Harder).
60. Id., *ibid.*, 17 (§§ 82-89 Harder).
61. *Recherches...*, p. 79 et n. 1.

(XI 19, 1)[62], où, d'après l'éditeur des fragments, Amélius opposerait Logos johannique et Ame du monde[63] ; selon H. Dörrie, Amélius trouve dans le IVe évangile « le premier pas... pour mettre en relation l'homme Jésus avec le Logos divin »[64] ; il décrit en termes néoplatoniciens la « descente » du Logos ; ce faisant, il va plus loin que les *Libri Platonicorum* des *Confessions* (7, 13), dont l'auteur, « selon toute apparence... niait même la possibilité que le Logos ait provoqué l'impression de s'être transformé en homme — φαντάζεσθαι ἄνθρωπον »[65]. Ajoutons, avec P. Henry, que « si (Augustin) fut conquis d'emblée et pleinement par les *Ennéades,* c'est qu'il les entendait chanter le Verbe de Dieu, c'est qu'il retrouvait en elles comme un écho profane de l'évangile de Jean. Il nous a dit lui-même comment il a comparé le *Prologue* johannique aux traités de Plotin sur le Logos divin »[66] ; on voit qu'Amélius avant lui faisait la comparaison.

3. *Longin (210-273)*

Contemporain de Plotin, Cassius Longin fut un de ses premiers lecteurs et un des plus avides. Avant même que Porphyre vînt d'Athènes à Rome et passât de son école à celle de Plotin (262-263), Longin le priait « de lui envoyer les ouvrages qui pourraient encore lui manquer : à part quelques-uns, il croyait les avoir tous reçus ; c'étaient des copies faites sur les originaux par les soins d'Amélius »[67].

Longin avait écrit un περὶ ψυχῆς, dont la *PE* a conservé un assez long fragment (3 Vaucher = XV 21). C'est, selon le sous-titre d'Eusèbe, une « réfutation de la conception stoïcienne

---

62. C'est le fr. 1 ap. *Amelii neoplatonici fragmenta* collegit A.N. Zoumpos (Zubos), Athènes, 1956.
63. A.N. ZOUMPOS (Zubos), *Amelius von Etrurien. Sein Leben und seine Philosophie,* Diss. Munich, 1954, p. 39.
64. H. DÖRRIE, « Une exégèse néoplatonicienne du prologue de l'Évangile selon S. Jean », ap. *Platonica minora* (Munich, 1976, pp. 491-507 = *Epektasis... card. J. Daniélou,* 1972, pp. 75-87), p. 500.
65. ID., *ibid.,* p. 504.
66. P. HENRY, *Plotin et l'Occident,* p. 235. Cf. P. COURCELLE, *Les lettres grecques...,* p. 165.
67. ID., *Recherches...,* p. 13, d'après la *Vie de Plotin,* 19, §§ 96-99 Harder.

de l'âme » comme corps. Il avait commenté le *Timée* [68]. Nous n'avons plus rien du περὶ ἀρχῶν et du φιλάρχαιος (« L'ami des anciens ») qui faisaient dire à Plotin : « Un lettré (φιλόλογος), notre Longin ; mais philosophe en aucune façon [69]. »

4. *Porphyre (234-305)*

Malgré six ans passés dans l'intimité de Plotin, Porphyre reste platonicien moyen plus que néoplatonicien [70] ; et son disciple Jamblique représente un néoplatonisme marginal assez différent de celui de Plotin [71].

Des 77 numéros que compte la liste de J. Bidez [72], sept seulement figurent dans le *Stellenregister* de Mras ; soit, dans l'ordre alphabétique latin : n° 34 B., *Adversus Boethum de anima* (neuf fragments conservés par Eusèbe) ; n° 54 B., *Adversus Christianos ;* n° 41 B., *De abstinentia vivorum ;* n° 47 B., *De cultu simulacrorum* (dû essentiellement à Eusèbe) ; n° 46 B., *De philosophia ex oraculis haurienda* (id.) ; n° 49 B., *Epistula ad Anebonem ;* n° 57 B., *Recitatio philologica* (quatre fragments conservés par Eusèbe). Autant de traités dont nous n'aurions à peu près rien sans Eusèbe. Il s'est intéressé particulièrement au *De abstinentia* et à *La philosophie tirée des oracles*, deux œuvres qu'il cite également dans la *Démonstration évangélique* et la *Théophanie* aux endroits que voici :

---

68. Cf. A.J. Festugière, *Proclus, Commentaire sur le « Timée »*, Paris, I, 1966, p. 264, n. 3.

69. Porphyre, *Vie de Plotin*, 14, § 74 Harder. Sur les rapports de Longin avec Plotin et Porphyre, cf. J. Bidez, *Vie de Porphyre*, Gand, 1913, pp. 29-36 : « Porphyre à Athènes auprès de Longin. »

70. Cf. P.O. Kristeller, in *Journal of Philosophy*, 62, 1965, p. 16 (dans la recension du *Calcidius* de J.H. Waszink).

71. Jamblique aurait été l'élève de Porphyre après l'avoir été d'Anatolius, un des premiers disciples de celui-ci ; mais la *Vie des Sophistes* d'Eunape est-elle jamais une source sûre ? Cf. H.J. Blumenthal, in *Hermes*, 102, 1974, p. 545, n. 29. Sur Jamblique en général : B. Dalgaard Larsen, *Jamblique de Chalcis exégète et philosophe*, I-II, Aarhus, 1972.

72. J. Bidez, *Vie de Porphyre*, Gand, 1913, appendice IV, « Liste des écrits de Porphyre » (pp. 63*x*-73*x*) ; cf. P. Hadot, *Porphyre et Victorinus*, Paris, 1968, I, p. 456, n. 1. Pour la vie du philosophe, cf. aussi P. Henry, *Plotin et l'Occident*, Louvain, 1934, surtout pp. 10-11 ; P. Courcelle, *Les lettres grecques en Occident....* ², Paris, 1948, *passim ;* R. Beutler, *s.v.* « Porphyrios 21 », in *R-E*, 22, 1954, c. 275-313 (les numéros assignés aux écrits diffèrent de ceux de Bidez).

De abst. I 19 : cf. *Dém.* I 10, 2 ;

II 5 : *ibid.*

II 27 : cf. *Théoph.* II 64.

II 34 : = *Dém.* III 3, 10.

II 54-56 : cf. *Théoph.* II 54-64.

II 56 : cf. aussi *Théoph.* III 16 fin.

De philos. ex or., p. 135 W. : cf. *Théoph.* V 3 fin.

p. 141 W. (vv. 135-136) = *Dém.* III 3, 6.

pp. 180-182 W. (vv. 316-321) = *Dém.* III 7, 1-2.

Comme *La philosophie tirée des oracles* est une œuvre de jeunesse, antérieure à la rencontre de Plotin, peut-être même à celle de Longin[73], nous allons commencer par elle.

a) *La philosophie tirée des oracles*

Au premier coup d'œil, il apparaît que les citations appartiennent toutes aux livres III-VI de la *PE*, sauf celle de IX 10, 2-5. Elles comprennent des introductions et des raccords de Porphyre, avec la quasi-totalité des vers réunis par G. Wolff en 1856.

L'avant-dernier chapitre du l. III (III 14) contient, aux §§ 4-8, cinq[74] fragments poétiques, soit les vers 48-63 et 90-93 de Wolff. On peut se demander pourquoi Eusèbe n'a pas cité ici les vers 64-74, qui concernaient Pan comme les vers 90-93, et les a gardés pour V 6, 1 ; ou pourquoi Wolff a détaché du contexte eusébien le charmant paragraphe III 14, 8, où Pan se décrit et qui vient si bien après les présentations semblables que font d'eux-mêmes Hermès et Asclépios. Mais il est facile de trouver des raisons à des propos différents, et toute reconstitution comporte une part d'arbitraire.

Les livres IV-V, consacrés aux oracles, sont naturellement les plus riches en citations ; le l. VI, sur la fatalité, en contient beaucoup lui aussi. Sauf pour quelques vers comme ceux de III 14, l'ordre d'Eusèbe se retrouve souvent chez Wolff. Après l'introduction de IV 6, 3-4, dont Wolff (p. 109) ne donne que la phrase finale, IV 7 reproduit le serment par lequel Porphyre

---

73. J. BIDEZ, *ibid.*, pp. 15-16.

74. Dans l'édition des livres II-III de la *PE*, « Sources chrétiennes 228 », Paris, 1976, p. 18, l. 4 en partant du bas, « six » est un lapsus.

s'engage à respecter la parole des « dieux », sauf, dit-il, quelques retouches de style ou de métrique. IV 8, 3-5 prépare le thème des sacrifices ; un oracle d'Apollon (IV 9, 2) s'accorde avec le *De abstinentia* de Porphyre, cité largement de IV 11 à IV 16, pour interdire les sacrifices d'êtres vivants.

Les mauvais démons ramènent en IV 20 et 23 le *De philosophia* de Porphyre, cette fois au l. II, vv. 174-181 et 167-173 W. ; puis en V 6-9 et 12-16, aux livres I et II.

En V 8, certains des oracles cités par Porphyre pourraient être « chaldaïques », et le choix de l'édition des *Oracles* devrait peut-être s'élargir[75]. Les cinq premiers chapitres de *PE* VI contiennent les vers 231-285, qui appartiennent au l. II de *La philosophie des oracles* ; puis 300-302, que le témoignage de Philopon (*De opificio mundi* IV 20) assigne au l. III.-*P.E.* IX 10, 2-5 donne les vers 128-140 de Wolff, où il est question des Hébreux.

Eusèbe s'est manifestement complu à recueillir chez Porphyre, le « défenseur des démons » (V 1, 9), tant d'aveux de leur impuissance. Ce fut un jeu pour lui d'en déceler les contradictions[76]. Et c'est la même faiblesse, malgré la différence d'esprit, qu'il trouvait dans le traité *Sur les images des dieux*.

b) *Sur les images des dieux*

Comme dans *La philosophie tirée des oracles*, Porphyre, ici encore, « vise à faire l'apologie du paganisme. Il prétend montrer que le culte des idoles n'implique en rien les aberrations que lui imputent ses adversaires : ... les fidèles ne prennent point pour des dieux les statues et les autres symboles vénérés dans les temples... ; il n'y a là qu'une écriture figurative, mettant en images la théologie d'un panthéisme naturaliste »[77]. Bidez a reconstitué partiellement le traité à l'aide du l. III de la *PE*, dont les chapitres 7, 9 et 11-13 en restent la source à peu près unique[78].

---

75. Cf. *Oracles chaldaïques,* Paris, 1971, p. 119, n. 4.
76. Cf. J. BIDEZ, p. 28.
77. ID., p. 21.
78. ID., app. I, pp. 1ˣ-23ˣ ; sur le traité, cf. pp. 21-28 et 143-157 ; F. BUFFIÈRE, *Les mythes d'Homère et la pensée grecque,* Paris, 1956, pp. 536-539, le résume bien.

Cette physiologie se situe bien au-dessus des superstitions et des recettes magiques signalées par la *Philosophie des oracles*. Au chapitre 9 (fr. 3 Bidez), qui s'ouvre par un poème orphique de trente-deux vers, Zeus apparaît dans toute sa grandeur, et la réfutation d'Eusèbe (III 9, 6-15) n'est pas insensible à une pareille vision du cosmos, bien que le chapitre 10 n'ait pas de peine à établir la supériorité du Dieu de l'Écriture sur l'anthropomorphisme du dieu grec. Les nouvelles citations de Porphyre aux chapitres 11-13 développent le symbolisme gréco-égyptien de diverses divinités : 11, 1-44 pour la Grèce ; 11, 45-13, 2 pour l'Égypte ; après quoi, la fin du l. III achève de condamner l'interprétation porphyrienne de la mythologie.

c) Le *De abstinentia*

Dans le traité « De l'abstinence de ce qui a eu vie », περὶ ἀποχῆς ἐμψύχων, Porphyre se mettait « à l'école de Théophraste »[79]. J. Bernays en 1866, W. Pötscher un siècle plus tard (1964) ont reconstruit à travers l'écrit néoplatonicien le περὶ εὐσεβείας du disciple d'Aristote. Faut-il remonter plus haut, et si le *De abstinentia* a été composé en Sicile, où sur le conseil de Plotin Porphyre était allé chasser ses idées noires, y retrouverait-on l'influence d'Empédocle[80] ? On connaît les beaux fragments (115 sv. Diels-Kranz) où le poète-philosophe s'élève contre les sacrifices sanglants, au nom de l'unité de toutes les vies.

Eusèbe, une fois de plus, a eu la main heureuse ; le choix de ses citations paraît excellent. Dès le livre I (9, 7-10 = *De abst.* II 5 et 7), la pratique primitive d'offrandes végétales aux astres lui sert à démontrer que « le culte astral est la première religion de l'humanité »[81]. Au livre III (4, 6-14), il exploite dans le même sens *De abst.* IV 9, qui insiste sur la parenté des hommes et des animaux et d'autre part complète les informations de Diodore, rapportées au chapitre 1 du l. II sur la zoolâtrie égyptienne. La

---

79. J. BIDEZ, *ibid.*, p. 28.
80. Vingt ans avant la *Vie de Porphyre*, J. Bidez avait publié une *Biographie d'Empédocle* (Gand, 1894).
81. J. SIRINELLI, in *PE, Livre I*, Paris, 1974, p. 291 ; cf. *Les vues historiques d'Eusèbe...*, 1961, pp. 166-180, et *La religion grecque*, p. 258.

citation anonyme de I 4, 7 (= *De abst.* IV 21) s'insère dans un développement oratoire sur les atrocités disparues avec le temps : il s'agit de la façon dont ceertains peuples hâtaient la mort des parents âgés.

Le l. IV de la *PE,* sur les oracles, puise largement dans le l. II du *De abstinentia.* Pour introduire les citations, le chapitre 10 relève la contradiction qui oppose ce traité à la *Philosophie tirée des oracles* : alors que dans ce dernier ouvrage Porphyre commentait, sans y voir de difficulté, les prescriptions qui réglaient les sacrifices d'animaux, il s'appuie maintenant sur Théophraste pour réserver ces sacrifices aux démons ; Apollon et les autres divinités que tant de peuples honorent ainsi ne seraient donc que des démons (IV 10, 3) ?

Après ce préambule, viennent les textes : IV 11-12 = *De abst.* II 34 ; IV 14 = II 7, 11-13, 24, 27, 60-61 ; IV 15 = II 36 et 58 ; IV 16, 1-9 = II 54-56. La pensée profonde de Théophraste et de Porphyre s'exprime IV 14, 9 = II 61 début : « pour les dieux la meilleure offrande est un intellect pur et une âme sans passions » ; l'idée d'un sacrifice purement spirituel, sans offrande matérielle, est celle d'Apollonius de Tyane, dont le περὶ θυσιῶν est cité IV 13 et *Dém. év.* III 3, 11 ; de Jamblique (*De mysteriis* V 20), qui cependant admet que l'on consacre aux dieux inférieurs des « corps administrés par la nature » (226, 6-7 P.) ; de Proclus au *IIe Extrait chaldaïque* : « Consacrons donc à Dieu cet hymne, l'assimilation à lui » (*Or. Ch.,* p. 207, 1. 22 sv.) [82].

Eusèbe cite ensuite l'*Histoire phénicienne* de Philon de Byblos, le *Protreptique* de Clément d'Alexandrie, les *Antiquités romaines* de Denys d'Halicarnasse, et, après des considérations personnelles sur les mauvais démons, reprend les citations du *De abstinentia :* IV 19 = II 43 et 52 ; IV 22 = II 38-41 [83].

---

82. J'emprunte ces rapprochements à A. SMITH, *Porphyry's Place in the Neoplatonic Tradition,* La Haye, 1974, pp. 96-97 et, dans le *IIe Extrait chaldaïque* de Proclus (*Oracles chaldaïques,* 1971, p. 207, l. 22-24), rétablis maintenant avec lui l'ordre des mss, en laissant τὴν ... ἐξομοίωσιν après ἀναθῶμεν, sans transposer avec Lewy ces quatre mots après σκοπόν : l'hymne consiste dans l'assimilation à Dieu (A. Smith, p. 115, n. 7).

83. On trouvera une concordance des citations du *De abst.* chez Eusèbe, Cyrille d'Alexandrie *(C. Jul.)* et Théodoret *(Thérap.)* ap. *Porphyre, De l'abstinence,* Livre I, introduction par J. Bouffartigue et M. Patillon, Paris, 1977 (coll. des Univ. de France), pp. LXXVI-LXXVII.

Restent les deux citations de *PE* IX sur les Juifs (IX 2 = *De abst.* II 26) et les Esséniens (IX 3 = IV 11-13) ; pour la seconde, où Porphyre transcrivait la *Guerre des Juifs* de Josèphe (II 119-159), Eusèbe ne mentionne pas l'historien mais seulement Porphyre ; il a bien senti que venant d'un païen l'éloge aurait plus de poids[84].

d) La *Lettre à Anébon*

La *Lettre à Anébon l'Égyptien*, antérieure d'après Bidez au *De regressu* et au *De abstinentia*[85], mais postérieure au *De philosophia ex oraculis*, dont elle forme comme l'autocritique[86], fournit moins de citations que les trois ouvrages déjà examinés ; ces citations sont pourtant la source principale de la reconstitution de la *Lettre*, avec le *De mysteriis* qui répond à celle-ci. Le vrai titre des *Mystères d'Égypte* est en effet, d'après la première phrase du texte, attestée par tous les manuscrits : « D'Abammon, son professeur, réponse à la lettre de Porphyre à Anébon et solutions des questions qu'elle pose[87]. » Comme H.D. Saffrey le montre en des pages vivantes, Anébon devait être un jeune Égyptien attiré par les leçons de Jamblique et qui aurait soumis à Porphyre des doutes sur le bien-fondé de la théurgie. Par-dessus le disciple, la lettre de Porphyre s'adressait « au maître, et peut-être à l'école tout entière. Jamblique n'est pas dupe du procédé... mais pour ne pas heurter de face » le grand platonicien « qui fut son professeur et qui reste son ami, il use d'un subterfuge », le pseudonyme d'Abammon[88].

Les citations de la *Lettre à Anébon* que contient la *PE* ne

---

84. « Fine » observation de Séguier (*La Prép. év.*, Paris, 1846, II, p. 532, n. 12 = en latin *PG* 21, c. 1557), ainsi qualifiée par Mras.

85. J. BIDEZ, *Vie de Porphyre*, p. 81. Mais pour H.D. Saffrey (ap. *Philomathès... Studies Philip Merlan*, La Haye, 1971, p. 233, n. 28), la *Lettre* n'est pas antérieure au *De regressu*.

86. *Porfirio, Lettera ad Anebo*, a cura di A.R. Sodano, Naples, 1958, p. XVI.

87. Je modifie légèrement la traduction de H.D. Saffrey, *op. cit.*, p. 227. Malgré l'accord des manuscrits VM, sources primaires du *De mysteriis*, je continue d'écrire « Abammon », que le P. Saffrey orthographie « Abamon » et traduit *théopatôr*, « père de dieu », équivalent de « théurge » pour Psellus dans le texte du *De omnifaria doctrina*, § 74 Westerink (1948), cité pp. 237-238.

88. H.D. SAFFREY, *op. cit.*, pp. 233-234.

recoupent jamais les propositions qui se tirent du *De mysteriis* et que la traduction de 1966 met entre guillemets[89]. Eusèbe ignorait-il l'ouvrage de Jamblique ? Il aurait pu le connaître, car le *De mysteriis* a dû précéder la mort de Porphyre (vers 305). Mais ce qui l'intéressait, c'était de voir attaquer par un philosophe une forme de superstition, la théurgie, sans doute florissante au début du IVe siècle.

A.R. Sodano, l'éditeur de la *Lettre*, compte dix citations de la *PE* : sept sont littérales, les trois autres concernent des passages déjà rapportés directement[90].

PE XIV 10, 1 = I 1 Sodano est une phrase initiale bien placée immédiatement après le préambule. Eusèbe en reprend la fin au § 7.

III 4, 1-2, exposé astrologique de Chérémon (= 2, 12 b-13 S.), revient deux fois dans le même livre sous forme de résumé (III 9, 15 et 13, 8). Eusèbe en conclut que la théologie récente des Égyptiens n'admettait d'autres dieux que les astres ; cf. III 4, 3.

V 10, 1-9 = 2, 8-10 b S. Porphyre s'indigne de voir les dieux soumis à des pratiques magiques (V 10, 1 = déjà V 6, 3).

V 10, 10 = 1, 2 c S.

V 10, 11 = 2, 19 b S.

XIV 10, 2 (expressions reprises partiellement § 7) = 2, 19 S.

e) L'*Adversus christianos*

Le traité en quinze livres *Contre les chrétiens* fut composé en Sicile, peu avant ou après la mort de Plotin en 270[91].

La *Chronique* arménienne mentionne «Porphyre, le philosophe notre contemporain» (125, 24 Karst) ; et celle de Jérôme : «impius ille Porphyrius in quarto operis sui libro, quod adversus nos casso labore contexuit» (8 a, 4-8 Helm).

D'après l'*Histoire ecclésiastique* (IV 19, 2 début), «Porphyre s'est établi en Sicile, y a composé des écrits contre nous et s'est

---

89. Cf. *Jamblique. Les mystères d'Égypte,* texte établi et traduit par É. des Places (coll. des Universités de France), Paris, 1966, p. 41, n. 4.

90. Cf. A. SODANO, *op. cit.,* p. XLI.

91. Cf. A. VON HARNACK, *Porphyrius «Gegen die Christen»* (*Abh. Berlin,* Jahrg. 1916, ph.-hist. Kl., Nr. 1), p. 3, après J. BIDEZ, *Vie de Porphyre,* p. 67.

efforcé d'y calomnier les Écritures divines » (trad. G. Bardy, *SC* 41). Eusèbe introduit ainsi le réquisitoire de Porphyre contre Origène qui constitue le fr. 39 H. : en style indirect aux §§ 2-3, textuellement aux §§ 4-8.

La préparation évangélique ne pouvait omettre le Porphyre adversaire des chrétiens, « qui s'est illustré par les invectives lancées contre nous » (I 9, 6, 4-5 ; cf. IV 6, 2), « qui de nos jours a monté son pamphlet contre nous » (I 9, 20, 7-8) ; autres allusions : V 1, 9 ; X 9, 11. Elle fournit trois des fragments recueillis par Harnack : *PE* I 2, 1-4 = fr. 1 (reproche des Hellènes aux chrétiens convertis) [92] ; I 9, 21 = fr. 41 (sur l'œuvre de Sanchuniathon) [93] ; V 1, = fr. 80 (sur l'épidémie de la ville, sans doute Rome).

f) Le traité *De l'âme contre Boèthus*

Le Boèthus contre qui Porphyre écrit un περὶ ψυχῆς n'est pas le stoïcien Boèthus de Sidon mais son homonyme et compatriote le péripatéticien contemporain de Strabon [94]. Eusèbe nous a seul conservé les fragments de ce traité : neuf, si tant est que les fr. 2-4 et 9 soient bien de Porphyre. En effet, dans le premier groupe de citations (fr. 1-4 Mras), qui appartient à *PE* IX 28, seul le fr. 1 (§§ 1-5) est certainement de lui ; le fr. 2 (§§ 7-10) est introduit (§ 6) par une formule qui semblerait donner la parole à Boèthus, dont ce pourrait être l'argumentation, à moins que Porphyre ne se contente de la résumer ; et il faut en dire autant des fr. 3-4 (§§ 11-12 et 13-16). Gifford fait des fragments 2-4 les fr. 1-3 de Boèthus ; le « Stellenregister » de Mras les attribue à « Porphyrius Adv. Boethum de anima » (p. 459), mais donne aussi (p. 443) à « Boèthus (περὶ ψυχῆς) » un fragment, le second, avec l'indication « (Porph.) », donc « à travers Porphyre ». W. Theiler

---

92. Cf. le commentaire de J. SIRINELLI, *La Pr. Év., L. I* (*SC* 206), pp. 224-229.

93. ID., *ibid.*, pp. 303-305. Ajouter maintenant à la bibliographie de la p. 303 : S.E. LÖWENSTAMM, in *R-E,* Suppl.-Bd 14, 1974, c. 593-598 ; J. BARR, « Philo of Byblos and his Phoenician History », in *Bull. of the J. Rylands Library,* 57, 1974-75, pp. 17-63.

94. P. MERLAN ap. A.H. ARMSTRONG, *The Cambridge History of Later Greek... Philosophy,* Cambridge, 1967, p. 115 et n. 8. Cf. H. DÖRRIE, ap. *Der kleine Pauly,* I, 1964, c. 916.

(*Forschungen zum Neuplatonismus*, Berlin, 1966, p. 186, n. 51) limite au § 7 la citation de Boèthus.

Les fr. 5 (*PE* XIV 10, 3), 6-7 (XV 11, 1-3) et 9 (XV 16, 1-2) n'offrent pas de difficultés. Mais une question se pose pour le fr. 8 (XV 11, 4). Mras revendique l'honneur de le rendre à Porphyre, alors que ses prédécesseurs attribuaient le paragraphe à Eusèbe[95]. P. Merlan le détache des fragments précédents et y reconnaît la main d'Atticus, dont Eusèbe venait de citer plusieurs extraits[96]. En effet, il semble que cette critique de la définition aristotélicienne de l'âme-entéléchie complète bien l'argumentation antérieure d'Atticus, alors que, donnée à Porphyre, elle ne ferait que répéter le début du fr. 6 de celui-ci (*PE* XV 11, 1) ; et dans l'édition des Universités de France, j'ai fait de XV 11, 4 un fragment « 7bis (?) » d'Atticus. Reste une objection. La « paraphrase textuelle » où Macrobe (*Comm. in Somn. Scip.*, II 15, 6 sv.) transpose l'argumentation des fr. 6-7 de Porphyre paraît englober le fr. 8, au moins dans le tableau comparatif de P. Courcelle, où le texte grec comprend la phrase finale ἔπὶ δὲ τῷ λέγοντι... αἰσχυνθείη[97]. K. Mras avait arrêté le rapprochement à οὔτε τὸ πῦρ (*PE* XV 11, 3 début) = *non nisi ex alio calescit* (Macr. II 15, 8 ; 141, 17-18 Willis)[98] ; P. Courcelle le poursuit jusqu'à l'équivalence αὐτοκίνητον -*ab se movetur* (Macr. II 15, 10 ; 141, 27 W.) : tout serait alors de la main de Porphyre.

g) La *Leçon philologique*

La Φιλόλογος ἀκρόασις, — *Recitatio philologica* dans le « Stellenregister » de Mras —, ne nous est connue que par les quatre fragments qui forment, au l. X de la *PE*, le chapitre 3. Ce sont des histoires de plagiats. Au chapitre 2, Eusèbe avait reproduit un texte du *VIe Stromate* de Clément qui dénonçait la

95. Cf. K. Mras, in *Glotta*, 25, 1936, p. 184. Mais E. Lévêque (ap. M.-N. Bouillet, *Les « Ennéades » de Plotin*, II, Paris, 1859, p. 623) en faisait déjà un fragment de Porphyre, le septième chez lui.

96. P. Merlan, *op. cit.*, p. 73, n. 3.

97. P. Courcelle, *Les lettres grecques en Occident de Macrobe à Cassiodore*[2], Paris, 1948, p. 32.

98. K. Mras, « Macrobius'Kommentar zu Ciceros Somnium » (*Sitz. Berlin*, ph.-hist. Kl., 1933, Nr. 5), p. 277.

même pratique chez les auteurs grecs. A la fin du quatrième fragment de Porphyre, Platon lui-même se voit accuser d'avoir démarqué le traité *De l'être* de Protagoras (X 3, 25) ; « malheureusement Porphyre arrête ses extraits avant la citation annoncée »[99].

Eusèbe exploite ces emprunts sans scrupule dont les Grecs étaient coutumiers pour démontrer, une fois de plus, qu'ils n'hésitaient pas à copier les Hébreux.

Par rapport à lui, Porphyre appartenait à la génération précédente ; c'est le dernier en date des philosophes qu'il cite[100].

---

99. K. MRAS, « Die Stellung der PE des Eusebius im antiken Schrifttum » (*Anzeiger der ph.-hist. Kl. der Oesterr. Akad. d. Wiss.*, Jahrg. 1956, Nr. 17), p. 214. Le chapitre d'Eusèbe tient une place importante dans l'histoire du plagiat en Grèce ; cf. E. STEMPLINGER, *Das Plagiat in der griechischen Literatur,* Leipzig et Berlin, 1912, pp. 40-57 (pp. 41-45 texte avec quelques notes critiques).

100. Sur « Eusèbe et Porphyre », cf. J. SIRINELLI, *Les vues historiques...,* pp. 164-170. Et cf. p. 287, n. 1 : « Tout au long de la *Préparation* et de la *Démonstration évangéliques,* il demeure obsédé par cet auteur, comme Pascal le sera par Montaigne ou Voltaire par Pascal ».

III

LES HISTORIENS ET LA LITTÉRATURE JUDÉO-HELLÉNISTIQUE

Le récent *corpus* gréco-latin du judaïsme commence à Hérodote, qui lui fournit deux textes[1]. Hérodote pourrait aussi introduire la présente section, si Eusèbe le citait directement ; mais il n'est nommé dans la *PE* que par Porphyre, comme exemple de plagiat, dans la *Leçon philologique* qui terminait la section précédente (X 3, 16) ; par Jules Africain, dans un fragment qui viendra plus loin ; par Plutarque, à l'occasion d'une locution proverbiale, dans un passage du *De defectu oraculorum* reproduit en *PE* V 4, 3 ; et si les livres V et VI de la *Préparation* contiennent beaucoup d'oracles empruntés à ses *Histoires*, c'est à travers Oenomaüs, qui d'ailleurs ne le nomme jamais. Dans sa lettre pascale sur la peste d'Alexandrie, Denys cite une phrase de Périclès chez Thucydide, II 64, 1 (ap. *HE*, VII 22, 6). Il faut attendre le IIᵉ siècle avant J.-C. pour trouver des historiens conservés par Eusèbe ; la plupart appartiennent à une littérature judéo-hellénistique qui comprend également la *Lettre d'Aristée* et Philon d'Alexandrie. A la fin du Iᵉʳ siècle avant notre ère, il y aura des Grecs, Diodore de Sicile, Denys d'Halicarnasse ; au IIᵉ siècle après J.-C., Philon de Byblos, Abydène.

1. M. STERN, *Greek and Latin Authors on Jews and Judaism*. Edited with Introductions, Translations and Commentary. Vol. One. *From Herodotus to Plutarch*. Jerusalem, 1974 (cf. *Biblica*, 56, 1975, pp. 251-253), pp. 2-5.

1. La *Lettre d'Aristée*

Cet « ouvrage de propagande à portée politique et religieuse en faveur des Juifs » [2] peut remonter au début du IIe s. av. J.-C. [3]. Les extraits de la *PE* (VIII 2-5 et 9 = *Ar.* 9-11, 28-46, 128-171, 310-317 ; IX 38 = *Ar.* 88-90) permettent en plusieurs cas de retrouver la bonne leçon de la *Lettre* [4] ; mais « le plus souvent, les différences entre la tradition directe d'Aristée et celle que nous présente la *PE* d'Eusèbe doivent être maintenues, parce qu'elles témoignent de ce qui sépare un Juif alexandrin de la belle époque ptolémaïque d'un évêque de Césarée sous Constantin » [5] ; les adaptations d'Eusèbe sont « caractéristiques d'une époque et d'un milieu » [6].

2. *Aristobule*

Le péripatéticien Aristobule écrivait au IIe s. av. J.-C. et dédiait à Ptolémée VI Philomètor (180-145) une « Exégèse des saintes lois », si Eusèbe (VII 13, 7 ; cf. IX 6, 6) nous livre bien ainsi le titre de son œuvre, et Clément, le dédicataire. Mais le fragment qu'introduisent ces renseignements (VII 14, 1), le premier d'après Mras, n'est en réalité qu'une partie du fr. 5 (XIII 12, 10-11 a) ; ainsi le nombre des fragments transmis par Eusèbe, et d'ordinaire par lui seul, se réduit à quatre [7] :

Fr. 2 = VIII 10, 1-17 ;
Fr. 3 = XIII 12, 1-2 (= d'après Clément IX 6, 6-8) ;

---

2. A. Pelletier, *La lettre d'Aristée à Philocrate* (*SC* 89), 1962, pp. 54-55.
3. Id., *ibid.*, p. 58.
4. Id., *ibid.*, pp. 23-25.
5. Id., *ibid.*, p. 26. Suit une comparaison extrêmement fouillée de la tradition directe d'Aristée et du texte d'Eusèbe (pp. 26-41).
6. Id., *ibid.*, p. 39.
7. Cf. N. Walter, *Der Thoraausleger Aristobulos* (Texte und Unters., 86), Berlin, 1964, p. 7, n. 2. L'édition du livre VII de la *PE* (*SC* 215, 1975) aurait dû signaler dans les *Fontes* (p. 236) le doublet VII-XIII ; et la n. 2 de la p. 236 n'a plus de raison d'être, puisque le fr. 5 d'Aristobule donne le contexte désiré. Sur Aristobule, outre la monographie de N. Walter, cf. les notices de C. Larcher, *Études sur le Livre de la Sagesse*, Paris, 1969, pp. 136-137, et surtout de A.-M. Denis, *Introduction aux pseudépigraphes grecs d'A.T.*, Leyde, 1970, pp. 277-283 (textes ap. *Fragmenta pseudepigraphorum quae supersunt graeca*, Leyde, 1970, pp. 217-226) et de M. Hengel, ap. *Entretiens sur l'antiqu. cl.*, 18, 1972, pp. 249-251.

Fr. 4 = XIII 12, 3-8 ;

Fr. 5 = XIII 12, 9-15 (9-12 également chez Clément, *Strom.* VI 137, 4-138, 4).

A grand renfort de citations poétiques, — authentiques ou forgées —, Aristobule développe le thème du plagiat, pour assurer aux Hébreux l'antériorité sur les Grecs[8].

Le fr. 4 contient le « Testament » d'« Orphée » (fr. 247 Kern = XIII 12, 5) ; c'en est la forme la plus complète, quarante-et-un vers, avec celle de la *Théosophie de Tübingen*[9].

3. *Alexandre Polyhistor*

Au début du Iᵉʳ siècle av. J.-C., Alexandre de Milet, né vers 105 et surnommé « Polyhistor » pour son érudition, recueillit dans son traité *Sur les Juifs* des extraits de plusieurs historiens juifs hellénistiques, dont certains composaient en vers[10]. « L'intérêt des Romains pour les Juifs explique la composition du Περὶ Ἰουδαίων par le Polyhistor[11]. » A son tour, « Eusèbe, dans le livre IX de la *PE*, veut d'abord prouver, en citant des auteurs païens, l'intérêt des Grecs pour l'histoire des Hébreux (*PE* IX 1) »[12]. De là une « mosaïque de citations..., ordonnée selon la chronologie et non selon les auteurs, et... faite par Alexandre Polyhistor, non par Eusèbe »[13].

Les premiers historiens cités sont Eupolémus, Artapan, Molon et un Démétrius distinct de Démétrius de Phalère. Eupolémus et Démétrius sont souvent nommés côte à côte ; dans l'*Histoire ecclésiastique* (VI 13, 7), Eusèbe « place Démétrius entre Joseph

---

8. Cf. N. Zeegers-Vander Vorst, *Les citations des poètes grecs chez les apologistes chrétiens du IIᵉ siècle,* Louvain, 1972, pp. 180-186 ; M.-J. Lagrange, *Le Judaïsme av. J.-C.,* Paris, 1931, p. 501.

9. Texte critique, avec indication des sources pour chaque vers, ap. A.-M. Denis, *Fragmenta...,* pp. 164-167. Sur les citations d'Aristobule, cf. encore P. Grelot, in *Introd. à la Bible,* éd. nouvelle, t. III, Paris, 1976, p. 184.

10. Cf. J. Freudenthal, *Hellenistische Studien,* 1-2, *Alexander Polyhistor und die von ihm erhaltenen Reste judaïscher und samaritanischer Geschichtswerke,* Breslau, 1875, seul recueil complet avec A.-M. Denis, *Fragmenta...,* pp. 175-216 ; F. Jacoby (*F. Gr. H.,* III a 273, F 19 a) et M. Stern (*Greek and Latin Authors...*) ne donnent qu'un « squelette » (Jacoby).

11. A.-M. Denis, *Introduction,* p. 245.

12. Id., *ibid.,* p. 246.

13. Id., *ibid.,* p. 248. Dans les paragraphes précédents (pp. 246-248), A.-M. Denis résume bien le l. IX de la *PE.*

et Eupolémos parmi les écrivains juifs qui ont prouvé l'antériorité de Moïse et des Juifs par rapport aux Grecs » [14] : toujours la
même préoccupation. Viennent ensuite des poètes : quelques
vers de Philon « l'Ancien » sur Jérusalem ; 47 hexamètres d'un
Théodote sur Sichem ; 269 trimètres iambiques d'Ézéchiel sur
l'Exode. D'autres historiens ne fournissent que quelques lignes :
un Aristée différent de l'auteur de la *Lettre*, sur Job (IX 2, 5) ;
Cléodème (ou Malchâs) sur les fils d'Abraham (IX 20, 3-4) ;
Théophile sur Salomon (IX 34, 19) ; Timocharès et l'« arpenteur
de la Syrie » sur Jérusalem (IX 35-36) [15].

C'est à travers Alexandre Polyhistor (parfois aussi Josèphe)
que la *Chronique* arménienne cite les *Babyloniaca* de Bérose
(début du IIIᵉ s. av. J.-C.), fr. 1 et 3-5 Jacoby (III C 1,
pp. 367-385).

4. *Diodore de Sicile* (fin du Iᵉʳ siècle avant Jésus-Christ)

« Diodore de Sicile est cité 68 fois dans la *PE* : il est l'auteur le
plus souvent mentionné après Porphyre et Platon (si l'on excepte
Homère, qui est cité d'ordinaire indirectement). Il était déjà cité
dans la *Chronique* à propos des Grecs et des Égyptiens [16] » ;
ajoutons : « des Assyriens et des Romains. »

Les citations appartiennent aux quatre premiers livres de la
PE. Les deux premières sont au l. I : I 7, 1-15 = Diod. I 6-8, sur
la cosmogonie universelle ; I 9, 1-4 = Diod. I 11, 1-5, sur la
théologie astrale égyptienne. « Eusèbe transcrira la suite du
passage en *PE* III 3 pour démontrer que la fameuse philosophie
allégorique ne concerne pas des êtres incorporels et transcendants mais les astres eux-mêmes dans leur matérialité ». Ici, ce
qui lui importe, c'est de trouver en Égypte le premier culte astral
connu [17].

Presque toutes les autres citations forment les deux premiers
chapitres du l. II de la *PE*. Eusèbe ne pouvait trouver meilleur
exposé de la théologie égyptienne que les livres I, III et IV de la

---

14. ID., *ibid.*, p. 249.
15. Sur tous ces auteurs, cf. DENIS, *Introduction*, pp. 244-262 ; M. HENGEL, ap.
Entretiens sur l'antiquité classique, 18, 1972, pp. 234-244.
16. J. SIRINELLI, ap. *PE* I (*SC* 206), Paris, 1974, pp. 280-281.
17. ID., *ibid.*, p. 288.

Bibliothèque historique. Il les cite, parfois assez librement, les abrège ou les modifie ; mais l'ensemble aboutit à un exposé cohérent et vivant [18]. A travers un fragment de Diodore que nous ignorerions sans lui et que les éditeurs ont placé en tête du livre VI (1, 2-10 Vogel), Eusèbe nous a transmis le fr. 2 de l'*Inscription sacrée* d'Évhémère, sur l'île de Panchaia et la piété de ses habitants [19]. Évhémère de Messine écrivait à la fin du IVᵉ ou au début du IIIᵉ s. av. J.-C. Eusèbe ne le cite qu'indirectement, comme il le fait pour Hécatée d'Abdère son contemporain ; nous retrouverons ces deux auteurs à propos de Josèphe.

Reste la citation de *PE* IV 16, 19 = Diod. XX 14, 4-6, sur les sacrifices humains offerts à Cronos. Le passage a un parallèle dans la *Théophanie,* II 64.

Eusèbe cite encore (V 27, 8), à travers Oenomaüs, l'oracle de la Pythie à Lycurgue, rapporté par Diodore dans les *Excerpta Vaticana* (VII 12, 1), et (V 28, 7) un autre oracle qu'il applique également à Lycurgue et qui remonte aussi à Diodore (*Exc. Vatic.,* VII 12, 2). A travers Numénius, il fait allusion au stratagème d'Agathoclès de Syracuse : XIV 6, 13 fin (fr. 25 des Places, 2 Leemans) = Diod. XX 3.

5. *Denys d'Halicarnasse* (fin du Iᵉʳ siècle avant Jésus-Christ)

Contemporain de Diodore, Denys d'Halicarnasse apparaît trois fois dans la *PE* : II 8, 1-13 = *Antiqu. romaines,* II 18, 2-21, 1, sur la théologie des Romains ; et, sur les sacrifices humains, IV 16, 15-17 (cf. *Theoph.* II 64) = *Ant. rom.* I 23, 1-24, 4 ; IV 16, 18 = *ibid.* I 38, 2-3.

6. *Philon d'Alexandrie* (1ᵗʳᵉ moitié du Iᵉʳ siècle de notre ère)

Une allusion à la *Legatio ad Caium,* 299-305, à propos de Pilate et de Tibère, dans la *Démonstration évangélique,* VIII 2, 123 (p. 390, 5 sv. H.) ; cf. *Hist. eccl.* II 5, 7 [19bis].

---

18. Tableau comparatif des textes de Diodore et d'Eusèbe ap. *PE* II-III (E. des PLACES), *SC* 228, Paris, 1976, pp. 9-11.

19. *Ibid.,* p. 11 et n. 1 ; cf. p. 74, n. 2.

19 bis. Sur les récits de Philon et d'Eusèbe, cf. *l'excursus* 8 d'A. PELLETIER ap. *Les œuvres de Philon d'Alexandrie,* 32, Paris, 1972, pp. 371-377.

Les citations de la *PE* sont un peu plus d'une vingtaine. Le « Stellenregister » de Mras les groupe suivant les œuvres de Philon. Pour les insérer dans le mouvement de la *PE*, nous suivrons plutôt l'ordre de leur apparition chez Eusèbe.

VII 13 continue la « théologie de la cause seconde » commencée au chap. 12. Les §§ 1-2 donnent seuls le texte grec d'un fragment des *Quaestiones et solutiones* sur Genèse 9, 6, « l'homme fait à l'image de Dieu », c'est-à-dire, pour Philon, du second Dieu, le Logos ; ici, plus qu'ailleurs, la concordance avec la version arménienne est presque parfaite [20]. Le § 3 cite *De agricultura* 51, où Philon, dit Eusèbe, « nomme aussi Fils de Dieu son Logos premier-né » ; et le § 4, *De plantatione* (= pour Philon *De agricultura* II), 8-10, qui fait du « Logos perpétuel du Dieu éternel » le fondement de l'univers [21]. Nouvelle citation du *De plantatione* (§§ 18-20) en VII 18, 1-2, encore sur l'homme créé à l'image de Dieu.

VII 21, 1-4 cite une première fois le *De providentia,* pour lequel il ne subsiste de l'original que les fragments conservés par Eusèbe ; le reste existe seulement en version arménienne. Ce fragment (1 Colson) est le premier texte sur le problème de la matière, qui occupera le long chap. 22 (« Maxime-Méthode ») ; il s'agit de la quantité de substance suffisante pour la genèse du monde [22].

VIII 6, 1-9 et 7, 1-20 nous ont conservé quatre fragments (IX, pp. 414-436 Colson) du Ier livre des *Hypothetica,* où Philon se tient d'assez près à la lettre du *Pentateuque ;* et VIII 11, 1-18, un fragment de l'*Apologie pour les Juifs* — œuvre sans doute identique à un l. II des *Hypothetica* [23] — qui décrit la vie des Esséniens comme le *Quod omnis probus liber sit* cité par Eusèbe immédiatement après (§§ 75-91 = VIII 12, 1-19).

---

20. Cf. *PE* VII (*SC* 215), Paris, 1975, p. 232, n. 1 (G. SCHROEDER) ; *Quaestiones et solutiones,* ap. Philo (Loeb Cl. Libr.), Supplement I (R. MARCUS), 1953, pp. 150-151 ; II (id.), p. 203.
21. Au § 4, l. 6, λόγος est la leçon d'Eusèbe, généralement préférée au νόμος des mss de Philon ; cf. G. SCHROEDER, p. 233, n. 3.
22. Cf. les notes de G. SCHROEDER (pp. 278-279) et, au t. 35 des *Œuvres de Philon d'Alexandrie* (Paris, 1973), celles de M. HADAS-LEBEL (pp. 279-281).
23. Cf. F.H. COLSON, ap. *Philo* (Loeb Cl. Libr.), IX, 1941, pp. 407 et 514.

Philon passe maintenant aux dogmes de la théologie hébraï-que. Tout d'abord, « le monde est créé » : VIII 13, 1-6 = *De opificio mundi* (pour Eusèbe, c'est Εἰς τὸν νόμον I), 7-12 [24].

Viennent ensuite, en VIII 14, 1-72, les trois derniers fragments du *De providentia* (= fr. 2 Colson).

XI 6, 36 = *Vie de Moïse* II 115, sur le tétragramme sacré.

XI 15, 1-6 = *De confusione linguarum* 97, 146-147, 62-63 : il s'agit de la seconde cause, le Logos image de Dieu [25]. Après la troisième citation, Eusèbe dit qu'elle provient comme les précédentes du *Quod deterius potiori insidiari soleat,* en quoi il se trompe sur l'attribution.

XI 24, 1-12 = *De opificio mundi,* 24-27, 39-31, 35-36 : les trois dernières citations de ce traité.

XIII 18, 12-16 = *De specialibus legibus* II 13-17 et 20, contre l'astrolatrie.

7. *Flavius Josèphe* (Iᵉʳ siècle de notre ère)

Les concordances entre Josèphe et Eusèbe ont été souvent étudiées. H. Schreckenberg en a dressé la liste, qui remplit des colonnes [26]. Pour l'*Histoire ecclésiastique,* le relevé d'E. Schwartz dans le Corpus de Berlin signale tous les parallèles des *Antiquités juives* et de la *Guerre des Juifs,* avec celui du *Contre Apion* (*HE* III 10, 1-5 = *C. Ap.* I 38-42) [27]. De la comparaison instituée par A. Pelletier entre *HE* I et III et *Bell. Jud.* I, il résulte que le témoignage d'Eusèbe ne doit pas bouleverser le texte de Josèphe établi par Niese ; « les préoccupations apologétiques qui détermi-

---

24. A propos du § 8 du *De opificio,* R. Arnaldez écrit : « Philon quitte immédiatement le Stoïcisme pour affirmer une transcendance. Le Logos, avec sa double fonction de premier-né de Dieu et de force agissante dans le monde, comblera l'intervalle entre le Créateur et les créatures. Philon, selon qu'il parle de l'une ou de l'autre fonction, se tourne vers le Portique ou vers l'Académie. Mais son Dieu, celui de la Bible, est au-delà des conceptions des deux Écoles » (*Les œuvres de Philon d'Alexandrie,* 1, Paris, 1961, p. 147, n. 5).

25. Cf. la note complémentaire 26 de J.G. KAHN, ap. *Les œuvres de Philon d'Alexandrie,* 13, 1963, pp. 176-182.

26. H. SCHRECKENBERG, *Die Flavius-Josephus-Tradition in Antike und Mittelalter,* Leyde, 1972, pp. 79-84.

27. E. SCHWARTZ, ap. *Eusebius Werke,* II, *Die Kirchengeschichte,* 3ᵉʳ Teil, Leipzig, 1909, pp. 72-74 ; cf. *Einleitung,* pp. CLVIII-CLXVIII, pour la *Guerre des Juifs ;* pp. CLXXVII-CLXXXVII, pour les *Antiquités.*

nent ses choix exercent aussi leur influence sur la manière dont il présente chacun des passages de Josèphe qu'il utilise » [28].

Comme le montre le tableau de H. Schreckenberg, l'*Histoire ecclésiastique* intervient presque seule (sauf quelques parallèles de la *Chronique de Jérôme,* de la *Démonstration évangélique* et de la *Théophanie*) dans la comparaison avec la *Guerre des Juifs.* Elle revient pour les livres XI, XIV et surtout XVII-XX des *Antiquités juives,* pour les §§ 361-364 de l'*Autobiographie* et pour les chap. 38-42 du *Contre Apion,* I. En face des références à ce Ier livre du *Contre Apion* ne se placent que la *Chronique arménienne* et les livres IX-X de la *PE.* Le l. II du *Contre Apion* n'est cité qu'au l. VIII de la *PE,* où ses §§ 163-227 (et le début du § 228) forment le chap. 8 : c'est un résumé de l'œuvre de Moïse [29].

Les *Antiquités juives,* surtout le l. XVIII, fournissent une dizaine de citations à la *Démonstration évangélique.* La citation de XI 1-2, à propos d'Isaïe 45, 8, est la seule non biblique du *Commentaire sur Isaïe,* p. 290, 25-31 Ziegler [29bis].

A travers Josèphe, et parfois seulement à travers lui, Eusèbe cite d'autres historiens [30]. D'abord, au ve s. av. J.-C., Hécatée de Milet (IX 13, 5 = *Ant. j.,* I 108). Vient ensuite, si le fragment est authentique [31], Hécatée d'Abdère, contemporain d'Alexandre et de Ptolémée Ier (mentionné dans une citation de la *Lettre d'Aristée,* 31 fin, en VIII 3, 3, et à travers Clément en XIII 13, 40) : l'extrait du Περὶ Ἰουδαίων (fr. 14 Müller, 21 Jacoby), qui provient du *Contre Apion,* I 197-204, décrit le temple de Jérusalem et rapporte (contre la divination) l'histoire de l'archer juif Mosollamos. Un peu plus tard, voici Bérose « le Chaldéen », avec ses *Babyloniaca,* citées à propos du déluge (IX 11, 2 = *Ant.*

28. A. PELLETIER, ap. *Josèphe. Guerre des Juifs,* l. I (Coll. des Univ. de France), Paris, 1975, p. 16.

29. Dans son introduction au *Contre Apion* (même coll., 1930, pp. x-xi), T. Reinach compte pour la *PE* « environ 117 §§ sur 616 », soit « plus d'un sixième du texte du *Contre Apion* » ; mais il omet *C. Ap.,* I 6-26 (= *PE* X 7, 1-21). En réalité, Eusèbe cite 138 §§, plus d'un cinquième de l'œuvre.

29 bis. Cf. J. ZIEGLER, ap. *Eusebius Werke (GCS),* IX, 1975, pp. XLIII-XLIV.

30. Cf. la liste de T. REINACH, *ibid.,* p. XXI ; sur la connaissance que Josèphe (et peut-être par lui Eusèbe) a eue des auteurs qu'il cite, *ibid.,* pp. XXII-XXXIX.

31. Inauthentique pour T. REINACH, *ibid.,* pp. XXXI-XXXII ; un « faux apologétique » pour M. HENGEL, ap. *Entretiens sur l'antiquité classique,* 18, 1972, p. 302 ; cf. A.-M. DENIS, *Introduction...,* pp. 265-267.

j., I 93) ; de la tour de Babel (IX 15 = *Ant. j.*, I 118-119, sans nom d'auteur) ; d'Abraham (IX 16, 2 = *Ant. j.*, I 158) ; de la captivité sous Nabuchodonosor et de la prise de Babylone (IX 40, 1-10 = *Ant. j.*, X 221-222 = *Contre Apion*, I 136-137 et 146-153). Viennent ensuite Manéthon, avec un extrait de ses *Aegyptiaca :* X 13, 3-10 = *C. Ap.* I 82-83 (textuel) et 84-90 (résumé) ; et Hestiée, auteur d'*Histoires phéniciennes*, cité IX 15 = *Ant. j.*, I 119 à propos de Sennaar en Babylonie. Évhémère, cité longuement d'après Diodore[32], l'est brièvement d'après Josèphe : IX 42, 2 = *C. Ap.*, I 216 ; il tient là compagnie à des Juifs hellénisés : Conon, Mnaséas. Peu avant l'ère chrétienne, l'historien païen Nicolas de Damas se met au service d'Hérode : IX 11, 4 = *Ant. j.*, I 95, sur l'arche ; IX 16, 4 = *Ant. j.*, I 159-160, sur Abraham à Damas.

8. *Hérennius Philon de Byblos* (1re moitié du IIe siècle)

L'*Histoire phénicienne* de Sanchuniathon, «plus ancien que la guerre de Troie », a été, nous dit Eusèbe, « traduite du phénicien en grec par Philon, non pas Philon le Juif mais celui de Byblos » (*PE* I 9, 20). Les citations de I 9, 5-6 reviennent, dans un contexte plus large, à partir du § 24 et dans tout le chap. 10, qui termine le Ier livre de la *PE ;* pour la plupart des fragments Eusèbe est la source unique. Mais Sanchuniathon a-t-il existé ? Oui, répond R. de Vaux résumant O. Eissfeldt ; «et dans la seconde moitié du deuxième millénaire avant notre ère, à Beyrouth, sa patrie, il a composé en phénicien un ouvrage sur l'histoire de son peuple et de son pays »[33]. Quoi qu'il en soit des avis opposés, «Sanchuniathon est... aux yeux d'Eusèbe la plus ancienne source connue attestant l'existence et la naissance d'un polythéisme anthropomorphe »[34].

Philon de Byblos reviendra en IV 16, 11 (récurrence de I 10, 44) à propos des sacrifices humains.

---

32. Cf. *PE* II-III (E. des PLACES), à II 2, 52 (p. 74, n. 2), et J. HANI, *La religion égyptienne dans la pensée de Plutarque*, Paris, 1976, pp. 131-141.

33. Cf. J. SIRINELLI, *PE* I, 1974, p. 304.

34. ID., *ibid.*, p. 305 (cf. pp. 306-307) ; bibliographie *ibid.*, p. 303 (avec les compléments indiqués ci-dessus, p. 66, n. 93).

9. *Abydène* (IIe siècle après Jésus-Christ)

A en juger par la langue de ses *Assyriaca,* Abydène vivait sous les Antonins. La *PE* le cite trois fois : IX 12, 2-5, à propos du déluge ; IX 14, 2, à propos de la tour de Babel ; IX 41, 1-8, à propos de Nabuchodonosor. Au début de ce troisième extrait, il cite Mégasthène, dont il a dû connaître les *Indica* par Alexandre Polyhistor. Ici Eusèbe n'exploite pas Josèphe ; mais le *Contre Apion* cite Mégasthène dans un contexte semblable (I 144, qui mentionne aussi Philostrate)[35] ; la source première, pour Josèphe, est Bérose.

---

35. Cf. *Ant. j.,* X 227-228.

LES ÉCRIVAINS CHRÉTIENS

Note préliminaire.

L'*Histoire ecclésiastique* cite Polycarpe de Smyrne, Ignace d'Antioche et surtout Irénée, qui ne figurent pas dans les autres ouvrages d'Eusèbe. Elle nous a conservé également de nombreuses lettres épiscopales, sur le baptême et sur la Pâque en particulier ; les plus importantes sont celles de Denys d'Alexandrie, dont nous allons rencontrer d'autres œuvres. Les extraits que nous devons à l'*Histoire,* si riche à maints égards, n'intéressent pas d'ordinaire « Eusèbe commentateur », car il ne les commente qu'exceptionnellement, et ils viendront seulement confirmer à l'occasion (pour Justin surtout) le témoignage de la *Préparation* et de la *Démonstration évangéliques* ou des travaux d'exégèse. Renvoyons donc, pour l'ensemble des citations d'écrivains chrétiens que contient l'*Histoire,* aux tables des *GCS* et des « Sources chrétiennes »[1].

1. *Justin* († 165)

Si Eusèbe n'exploite pas Justin dans la *Préparation évangélique,* l'*Histoire ecclésiastique* fait souvent appel à la *Ire Apologie* (elle en connaît deux mais ne cite que la première) et en IV 18

---

1. Cf. le *Register* d'E. SCHWARTZ, ap. *Eusebius Werke,* II 3, 1909, pp. 60-83 (*Literarischer Index,* 1, *Aus Eusebius*) et l'*Index des citations des auteurs anciens* dressé par P. Périchon, ap. *Eusèbe, Histoire ecclésiastique,* IV, 1960 (*SC* 73), pp. 277-284.

cite plusieurs fois le *Dialogue avec Tryphon*, une fois littéralement au § 7, puis par manière d'allusion aux §§ 8-9.

La *Démonstration* trouvait en Justin un précurseur. Les
Apologies et le *Dialogue* avaient insisté sur les emprunts des
Grecs à Moïse mais surtout montré dans le monde la présence
active du Logos. Sans reprises littérales de la part d'Eusèbe, les
parallèles sont nombreux d'un auteur à l'autre. Et beaucoup des
citations de l'Ancien Testament leur sont communes : le
Dialogue (chap. 98) cite les vv. 2-24 du Psaume 21, et la *Dém.*
(X 8, 1-7) le reproduit intégralement.

2. *Tatien* (IIᵉ siècle)

Dans la *PE,* Eusèbe ne cite pas d'apologiste antérieur à
Tatien : les ouvrages qu'il cite de Justin, le maître de celui-ci, ne
sont que des «pseudépigraphes», contemporains, au mieux, de
Jules l'Africain.

Le *Discours aux Grecs* du syrien Tatien, écrit probablement
après la mort de Justin, fournit au l. X de la *PE* deux citations
directes : X 11, 1 = *Disc.*, 31 ; X 11, 6-35 = *Disc.*, 36-42 (fin du
traité). Son nom apparaît encore au chapitre suivant (X 12, 6), à
travers le *1ᵉʳ Stromate* de Clément, qui connaît l'expression ὁ
διφυὴς Κέκρωψ, déjà citée directement par Eusèbe en X 11, 20.

Au début du chap. 31 (et de la première citation d'Eusèbe),
Tatien se propose «de montrer que notre philosophie est plus
ancienne que la civilisation des Grecs» ; et en effet ce chap. 31
«est le premier essai d'une chronologie comparée des traditions
chrétiennes et païennes»[2]. Les chap. 36-42, qui forment la
seconde citation, insistent sur l'antiquité de Moïse[3]. Le chap. 36
mentionne les *Chaldaïca* ou *Babyloniaca* de Bérose (= X 11,
8-9 ; fr. 51 Schnabel, 18 Stern).

---

2. A. PUECH, *Recherches sur le Discours aux Grecs de Tatien,* Paris, 1903,
p. 147 et n. 1.

3. Cf. A. PUECH, *ibid.,* p. 89 (conclusion du chap. 5 : «l'argument chronologique», pp. 82-89).

3. *Bardesane* (154-222/3)

Comme Tatien, Bardesane était syrien ; né à Édesse, il mourut
en Syrie. Converti au christianisme à l'âge de vingt-cinq ans, il fut
disciple du gnostique Valentin. L'*Histoire ecclésiastique* (IV 30),
qui nous l'apprend, mentionne ses écrits contre Marcion et son
dialogue *Sur la Fatalité ;* c'est ce dialogue qui serait devenu, sous
la forme élargie que lui donna un disciple du nom de Philippe, le
dialogue en syriaque intitulé *Le livre des lois des pays*[4] : chez
Eusèbe (*PE* VI 9, 32 fin), « Entretiens avec ses fidèles » ; suit un
long extrait sur le destin (VI 10), entre ceux d'Alexandre
d'Aphrodise (chap. 9) et d'Origène (chap. 11)[5].

4. *Jules l'Africain* (Sextus Julius Africanus)

Julius Africanus est le premier chronographe chrétien ; arrêtée
à 221 après J.-C., sa *Chronique* porte dans l'*Histoire ecclésiastique* le titre de *Chronographies* (*HE*, VI 31, 2). L'*HE* cite ses
lettres à Origène et à Aristide (VI 31, 1 et 3), la seconde avec un
long fragment (I 7, 2-16). Le Xe livre de la *PE* lui consacre le
chap. 10[6]. Le premier fragment (X 10, 1-8) expose la méthode
du chroniqueur : synchroniser l'histoire grecque et l'histoire
hébraïque, et se réfère à Bérose, à Diodore, à Polybe[7]. Les
suivants donnent des exemples de synchronismes : du côté grec,
par rapport à Ogygès, contemporain d'un déluge qui avait
recouvert la Béotie ; du côté hébraïque, par rapport à Moïse.
Tous ces fragments forment l'extrait 22 de Routh[8].

Un fragment plus long, centré sur Néhémie[9], se trouve sous
deux formes légèrement différentes dans la *DE* (VIII 3, 46-54) et
dans les *Eclogae propheticae* (III 46).

4. Cf. D. AMAND, *Fatalisme et liberté dans l'antiquité grecque,* Louvain, 1945,
pp. 228-232.

5. *Ibid.,* pp. 234-257 (analyse de l'œuvre et des arguments).

6. Sur la *Chronographie,* cf. J.-R. VIEILLEFOND, *Les « Cestes » de Julius
Africanus,* Florence et Paris, 1970, pp. 26-28. Sur les intentions eschatologiques
de l'Africain, cf. J. SIRINELLI, *Les vues historiques...,* pp. 38-41.

7. J. SIRINELLI, *ibid.,* pp. 75-79.

8. M.J. ROUTH, *Reliquiae sacrae*[2], II, Oxford, 1846, pp. 269-278 (texte) et
423-437 (notes).

9. *Ibid.,* pp. 184-189 et 338-343.

5. *Le Pseudo-Justin*

Les deux œuvres attribuées à Justin dont Eusèbe aurait pu se servir sont la *Cohortatio ad Gentiles* et le *De monarchia Dei ;* la première, tout au moins, paraît citer la *Chronique* de Jules l'Africain, ce qui lui assigne une date postérieure à 221 ; l'une et l'autre, il est vrai, pourraient avoir une source commune [10]. La *PE* puise ailleurs deux citations qu'elle partage avec la *Cohortatio :* la première (X 10, 4) — deux hexamètres sur la sagesse des Chaldéens et des Hébreux — appartient à la *Philosophie des oracles* de Porphyre ; la seconde (XIII 12, 5) présente dans la *Cohortatio* et le *De monarchia* la forme la plus courte de ce « Testament d'Orphée » dont Eusèbe emprunte la forme longue à Aristobule. Les autres citations du *De monarchia* (3-5 ; II[2] 140-142 et 150-152 Otto) proviennent de la comédie et font partie du chap. 14 du *Ve Stromate* de Clément, qui est devenu, pour les deux tiers, le chap. 13 de *PE* XIII ; Clément lui-même connaissait-il déjà le *De monarchia ?*

6. *Clément d'Alexandrie* (c. 150-215)

Nous venons d'indiquer le principal emprunt de la *PE* à Clément, la majeure partie d'un long chapitre. Auparavant, les *Stromates* apparaissent au l. IX, où le chap. 6 sur les Juifs cite plusieurs passages du *Ier Stromate*, chap. 15, §§ 71-72 (Numa, Mégasthène), 150 (fr. 3 d'Aristobule) ; de même, X 4-6 = chap. 16, §§ 69, 3 et 5 ; 74, 2-6 ; 75, 1-77, 2. Le *Ve Stromate* (§§ 89-96 et 98-134) remplit, nous l'avons dit, une bonne partie de *PE* XIII 13 ; son § 11 (5-6) — deux citations du sillographe Timon de Phlionte — se retrouve en *PE* XV 62, 14-15. Sur le plagiat en Grèce, le *locus classicus* du *VIe Stromate* (4, 3-5, 2 ; puis 16, 1 ; 25, 1-2 ; 27, 5-29, 2) devient *PE* X 2.

Le *Protreptique* fournit à la *PE* le début de son chap. 2 sur les mystères (11, 1-23, 1), qui forme le chap. 3 du l. II. Sur les prétendus sanctuaires des dieux, qui ne sont que des tombes funéraires, la suite de ce chap. 2 du *Protreptique* donne à *PE* II 6

---

10. A.-M. DENIS, *Introduction*, p. 226 et n. 12.

les §§ 1-10 ; sur les sacrifices humains, le début du chap. 3 devient *PE* IV 16, 12-13.

7. *Origène* (185-253)

L'*Histoire ecclésiastique* consacre à Origène une partie du l. VI. La *Préparation évangélique* fournit à la *Philocalie* le meilleur texte du chap. 23, extrait du *Commentaire sur la Genèse* (III = *PE* VI 11), et le chap. 27, « Maxime » sur la matière (= *PE* VII 22), qui appartient en réalité au *Traité du libre arbitre* de Méthode d'Olympe [11]. Un autre extrait du *Commentaire sur la Genèse* (I = *PE* VII 20) manque dans la *Philocalie*. C'est Eusèbe commentateur de la Bible qui doit le plus à Origène.

Pour le *Contra Celsum*, l'index de M. Borret [12] ne mentionne, au mot « Eusèbe de Césarée », que l'*Histoire ecclésiastique* et la *Préparation évangélique ;* les passages de celle-ci auxquels il renvoie sont des parallèles, comme *PE* V 33-34 = *CC* III 25 sur Cléomède et Archiloque ; la citation de la VIe *Lettre* de Platon (323 d ; *CC* VI 9 = *PE* XI 16, 2 et XIII 13, 28) est plus libre chez Origène que chez Eusèbe, qui paraît la prendre une première fois directement chez Platon et la seconde fois à travers Clément.

Si l'on excepte quelques rapprochements avec les commentaires scripturaires, la *Démonstration évangélique* ne semble exploiter que le *Contra Celsum* et le *De principiis*. Il ne s'agit nulle part de citations littérales, et la communauté des sujets traités explique suffisamment le voisinage des formules, sans que l'on puisse avec certitude conclure à un emprunt.

---

11. Cf. *PE,* livre VII (G. SCHROEDER-E. des PLACES), *SC* 215, Paris, 1975, pp.112-119 (G. SCHROEDER), avec ma « note complémentaire » (pp. 315-316) ; E. JUNOD ap. « Origène. *Philocalie* 21-27, *Sur le libre arbitre* », *SC* 226, Paris, 1976, pp. 66-67 (pour le texte et la traduction du chap. 24, É. Junod renvoie à l'édition précitée de *PE* VII).

12. *Origène, Contra Celsum*, t. V, introduction générale, tables et index par M. BORRET, *SC* 227, Paris, 1976, p. 275.

8. *Denys d'Alexandrie* († 265)

Dans l'*Histoire ecclésiastique*, Eusèbe traite Denys aussi bien qu'Origène ; il lui consacre une partie du l. VII, qui reste la principale source. La *PE* nous a conservé de longs fragments de son *Traité de la nature* (XIV 23-27 ; toute la fin du livre) et un autre du *Contre Sabellius* (VII 19). « Eusèbe semble avoir étendu au disciple d'Origène l'admiration qu'il avait pour le maître » [13].

---

13. G. Schroeder, ap. *SC* 215, p. 109.

CHAPITRE DEUXIÈME

EUSÈBE
ET L'ANCIEN TESTAMENT [1]

---

1. Cf. la thèse de C. SANT, The Old Testament Interpretation of Eusebius of Caesarea, Malte, 1967 ; sur Eusèbe commentateur de l'A.T., le chapitre IV de D.S. Wallace-Hadrill (*Eusebius of Caesarea,* Londres, 1960, pp. 72-99 : «Eusebius and the Bible : The Interpretation of the Text») reste excellent ; pour les Psaumes, cf. pp. 91-96.

EUSÈBE COMMENTATEUR DES PSAUMES

I. Psaume 21

1. *La Démonstration évangélique* (X 8, pp. 471-492 Heikel ; *PG,* 22, 757 c-789 d).

Si, comme il est probable, la *Démonstration* a été écrite à la suite de la *Préparation,* c'est une raison de commencer par elle l'étude d'Eusèbe commentateur des Psaumes. Le commentaire proprement dit, en effet, semble dater des dernières années de la vie d'Eusèbe[2]. De plus, le chapitre huitième et dernier du livre X, qui termine ce qu'il nous reste de l'œuvre, est un « admirable » commentaire du psaume 21 (hébreu 22)[3].

Le texte du psaume[4]. Chez Eusèbe, il diffère peu de celui des LXX. Au v. 11, ἀπὸ γαστρός hic P(aris. gr. 469, s. XII) = ἐκ κοιλίας § 12 fin (p. 473, 13 Heikel) cum LXX. Au v. 18, P a ἐξηρίθμησαν comme les mss BSA de la LXX (-ησα Grabe Rahlfs). La variante la plus intéressante est la ponctuation du

---

2. Cf. J. Quasten, *Patrology,* III, Utrecht et Anvers, 1960, p. 338.

3. L'épithète est de J. Daniélou, Études d'exégèse judéo-chrétienne, Paris, 1966, p. 34 (= *La Maison-Dieu,* n° 49, 1957, p. 25) ; elle introduit la section eusébienne de l'article intitulé « Le Psaume 21 dans la catéchèse patristique » (*ibid.,* pp. 16-34 ; pour Eusèbe, pp. 25-30 = *Études...,* pp. 35-41), qui va nous servir de guide.

4. Ce texte serait à comparer avec celui des chaînes dans les mss Bodl. Barocc. 235 et Vatic. gr. 1789, l'un et l'autre du type VI Caro-Lietzmann ; cf. R. Devreesse, ap. *Studi e Testi* 264 (ci-après n. 11), pp. 100-101 ; pour les ps. 1-50, id., *ibid.,* pp. 90-115.

v. 3 a : οὐκ εἰσακούσῃ, négatif dans la LXX, devient interrogatif chez Eusèbe (ἀποφατικῶς § 45, ἐρωτηματικῶς § 44).

L'exégèse d'Eusèbe. Le verset initial, dit Eusèbe, a été prononcé par le Sauveur comme le rapporte Matthieu (27, 46 par.) ; avec bien d'autres, il prouve que le psaume ne peut concerner que lui. Au paragraphe 13 Eusèbe glose le μνησθήσονται du v. 28 par συναισθήσονται. A partir du paragraphe 15, il examine en détail les traits qui se rapportent au Christ.

Le psaume « exprime le mystère même de la kénose, de l'abaissement du Christ (768 b) » ; cf. Phil. 2, 6-11 et Is. 52, 13-53, 12. Eusèbe « interprète le psaume 21 comme Paul avait fait du chapitre d'Isaïe. L'abandon du Christ est identique à sa kénose » (Daniélou, p. 35). Au v. 2, les παραπτώματα de la LXX s'expliqueraient, puisque « le Christ s'est approprié nos péchés » (paragraphe 41 fin) ; mais « les autres traducteurs grecs parlent de prière », et « c'est bien ce qui correspond au texte hébreu » (Daniélou, *ibid.*) ; la nouvelle vulgate traduit : « (longe a salute mea) verba rugitus mei », ce qui répond à ῥήματα βρυχήματός μου chez Aquila.

Au v. 3, Eusèbe, nous l'avons dit à propos du texte, juge meilleur le point d'interrogation après εἰσακούσῃ : comment le Père n'écouterait-il pas les cris de son Fils ? « Est-il possible, Père, que moi, ton Fils unique et bien-aimé, je ne sois pas entendu quand je crie et clame vers toi mon Père » ? (paragraphe 43 ; cf. paragraphe 48).

Aux vv. 13 et 17, les puissances démoniaques, représentées sous des formes animales (veaux, taureaux, chiens ; cf. paragraphe 68, 777 b ; paragraphe 73, 780 b) et qui s'en prennent au Sauveur mourant ne menaçaient pas moins sa naissance, décrite aux vv. 10-11. La liturgie du baptême et l'*ordo commendationis animae* supposent le même danger au moment de la naissance et à celui de la mort (Daniélou, p. 36). Et le secours de Dieu à la naissance du Christ ne peut lui manquer à sa mort (paragraphe 58 ; 773 c). La puissance qui l'a tiré du sein maternel le tirera de la mort[5]. Dans le sein de sa mère, d'ailleurs, il restait « sans

---

5. Cf. J.A. DE ALDAMA, in *Recherches de science religieuse,* 51, 1963, p. 12 et n. 20 ; les pp. 13-15 rapprochent l'ὥσπερ μαιούμενος de *Dém.* X 8, 57 (p. 481, 10 Heikel ; *PG* 22, 773 b fin), l'ἐμαιεύσατο de la glose anonyme des *Selecta in*

confusion ni tache », ἀσύγχυτος καὶ ἀθόλωτος [6], et c'est sa divinité qui le poussait à tressaillir en face de son précurseur (paragraphe 60 ; 776 a). Mais la confrontation du Christ et des puissances démoniaques décrite aux vv. 11 b-13 est « un nouvel aspect de la théologie de la rédemption... le combat du Christ contre les puissances mauvaises qui tenaient l'humanité captive » (Daniélou, *ibid.*). Dans l'excès de sa bonté, le Sauveur pleure sur elles, ἀποκλαομένῳ καὶ ἐπ'αὐταῖς δι' ὑπερβολὴν ἀγαθότητος (paragraphe 65 ; 776 d fin) ; les bons anges, eux, n'osent l'aider à lutter contre la mort et à forcer les portes de l'enfer pour assister les âmes qui y sont enfermées (paragraphes 69-70 ; 777 c, traduit ap. Daniélou, p. 37).

L'attitude des Pharisiens et autres ennemis du Christ souffrant se compare à celle de chiens muets, incapables de garder le troupeau (paragraphe 82 ; 781 d), ou d'hérétiques qui déchirent les Écritures (paragraphe 87 ; 784 c ; cf. Daniélou, p. 40). Le chien revient plus loin, comme instrument de mort (paragraphe 93 ; 785 b), avec le rappel du chien à trois têtes de l'Hadès grec (Cerbère).

Le v. 23, — proclamation de ton nom à mes frères et louange de Dieu dans l'assemblée, — cité par *Hébreux* 2, 12 (cf. Daniélou, pp. 33-34 et 39) et « interprété des apparitions du Christ ressuscité », étend la catéchèse à la résurrection ; le psaume est donc, « comme Isaïe 52-53, l'expression du mystère pascal tout entier » (*ibid.*, p. 38). Et cette proclamation, cette louange se feront dans la grande assemblée qu'est l'Église (paragraphes 104-106 ; 788 d) ; ce sera la conversion des nations (paragraphes 110-111 ; cf. Daniélou, pp. 39-40).

2. Le *Commentaire* (*PG* 23, 201 c-216 c)

Le commentaire du psaume 21 appartient malheureusement à une partie (psaumes 1-49) pour laquelle Montfaucon a transmis à Migne un texte absolument insuffisant ; on ne peut lui faire

---

Psalmos publiée par dom de La Rue (*PG* 12, 1253 c 9-11 ; cf. ALDAMA, p. 10 et n. 14) et le commentaire d'Eusèbe au psaume 70, 6-7 (*PG* 23, 777 a 13-b 2 ; cf. ALDAMA, p. 14 et n. 26).

6. Phrase citée par le *PGL.*, *s.v.* ἀσύγχυτος, au début de la section C 1 b (« christologie préchalcédonienne »).

confiance que s'il est confirmé par de meilleurs témoins. C'est le cas d'une chaîne palestinienne publiée déjà par B. Cordier, au t. Ier de son *Expositio Patrum graecorum in Psalmos*[7], et rééditée, d'après le ms. d'Oxford Barocci 235, fol. 209 v., par J. A. de Aldama, qui la traduit ainsi : « Il montre que celui-ci, après avoir été formé d'une manière qui n'allait point selon la nature, qui ne répondait pas au mode selon lequel sont formés le reste des hommes et les autres vivants, — tous issus d'un couple, — que celui-ci ne se plia pas non plus aux lois de la naissance : il eut mieux que cela, hors de l'ordre commun »[8]. Même ailleurs, l'accord substantiel avec la *Démonstration* (X 8) témoigne peut-être en faveur de l'authenticité eusébienne. Outre le passage certain, il faut, par exemple, au moins mentionner, dans le commentaire des vv. 31-32, l'« esprit d'adoption », τὸ πνεῦμα τῆς υἱοθεσίας (216 b), qui n'était pas aussi nettement indiqué dans la *Démonstration*.

3. Les *Eclogae propheticae* (PG 22, 1108 b-1112 b)

Les *Extraits des prophètes* correspondent aux livres VI-IX d'une *Introduction générale élémentaire* qui comptait au moins neuf livres[9]; en II 13, pour le psaume 21, ils n'ajoutent rien à la *Démonstration* et au *Commentaire*.

II. PSAUME 90

1. La *Démonstration évangélique* (V 21, p. 244 H., PG 23, 401 d-404 b; IX 7, pp. 418-422 H., PG 23, 673 d-681 b).

Le court chapitre V 21 cite quelques versets du psaume, rappelle que Satan lors de la tentation objecte au Christ le 11e et le 12e (Mt 4, 6 par.), et annonce un examen plus complet « au moment approprié » (p. 244, 25-26 H., fin du chapitre). Cet

---

7. Anvers, 1643, p. 408.
8. J.A. DE ALDAMA, *op. cit.*, pp.8-9 et n. 9.
9. Cf. A PUECH, *Histoire de la littérature grecque chrétienne*, III, Paris, 1930, p. 191.

examen, un commentaire assez développé mais qui ne peut se comparer à celui du psaume 21, vient en IX 7. Il reproduit d'abord (& 1-3) les vv. 1-13 du psaume, voit dans les bêtes qui menacent le Christ l'image des tentations et des dangers auxquels il s'exposait en prenant la nature humaine, et le montre confiant dans le secours de son Père, le Très-haut, « qu'il savait plus grand que lui » (& 14, 677 d). Eusèbe insiste sur le v. 7 : « mille tombent à ton côté et dix mille à ta droite » : le « côté » remplace la gauche par euphémisme ; la droite, plus forte, abat plus d'ennemis (& 10, 677 b). Il s'arrête moins qu'on ne l'attendrait à la « rencontre impressionnante » du Fils de Dieu et du Prince de ce monde [10] ; mais leur lutte donne lieu à un beau mouvement (la longue phrase du paragraphe 7, 676 b-d).

2. Le *Commentaire* (PG 23, 1139 d-1165 c).

Le commentaire du psaume 90, fondé sur l'excellent Coislin 44, du xe siècle, offre un texte sûr [11] ; d'autre part, Eusèbe cite plusieurs fois les variantes d'Aquila et de Symmaque (1141 b, 1144 a-b, 1149 c-d, 1152 a, 1153 c, 1156 b).

La différence entre la droite et la gauche se retrouve ici. Ce que le psalmiste dit du secours et du refuge divins s'applique à tout homme « parfait dans le Christ », mais aussi au corps du Christ, que forme « le chœur des martyrs, composé d'âmes parfaites » (1145 a ; cf. 1157 b), et à l'Église son épouse. En un beau mouvement, Eusèbe représente les « puissances invisibles et

---

10. Cf. J. Sirinelli, *Les vues...*, p. 309 et n. 1 ; mais voir aussi p. 325 et n. 7.

11. R. Devreesse, *Les anciens commentateurs grecs des Psaumes* (Studi e Testi, 264), Città del Vaticano, 1970, p. 117, compare « les neuf premiers extraits de nos chaînes sur le ps. 95 avec le texte suivi du Coislin 44 ». Doutes sur l'excellence du Coislin 44 ap. C. Curti, *Due articoli eusebiani*, Noto, 1971, pp. 13-15 ; cf. M.-J. Rondeau, recension du précédent, in *R.E.G.*, 88, 1975, p. 373.

C. Curti prépare l'édition du *Commentaire*, en s'appuyant, pour 95, 3-150, sur deux témoins, qui, « à travers une chaîne commune, remontent à un bon exemplaire de tradition directe » : Patmos S. Giovanni 215 et Ambros. F 126 sup. (« Il codice Patmos monastero S. Giovanni 215 et i *Commentarii in Psalmos* di Eusebio di Cesarea », ap. *Studi classici in onore di Qu. Cataudella,* II, Catane, 1972, pp. 321-365 ; ici p. 365). Cf. son article de la *Riv. di storia e letteratura religiosa* (X, 1974, pp. 92-111), recensé ap. *Revue de Philologie,* 1977, p. 137, et celui d'*Augustinianum* (cf. p. 108, n. 35). Pour les ps. 1-50, D. Barthélemy utiliserait Oxford Barocci 235, du ixe siècle (*Eusèbe...*, p. 52 et n. 1).

adverses» stupéfaites de la proclamation «Voici mon Fils bien-aimé», et effrayées de voir leur empire ruiné par la Rédemption qui affranchit les hommes de l'«erreur idolâtrique», τῆς εἰδωλολάτρου πλάνης (1157 a) [12]. Les fouets du v. 10 ne sont pas ceux qui ont flagellé tant de saints et le Sauveur lui-même ; il s'agit de l'«action démoniaque», δαιμονικῆς ἐνεργείας (1157 c fin). La «tente» que celle-ci n'atteint pas est l'Église (1157 d-1160 a). Car selon le sens (κατὰ διάνοιαν, opposé à κατὰ λέξιν), c'est l'Église qui est la tente du Sauveur, comme le peuple chrétien est son corps (1161 a).

Le commentaire des vv. 13-14 s'achève sur une ample vision de la vie du Christ ainsi prophétisée en trois étapes : tentation, Passion, victoire sur les puissances hostiles par la Résurrection.

III. Psaume 95

1. La *Démonstration* (VI 5, pp. 255-256 H. ; *PG* 22, 420 d-421 a)

Ce court chapitre est un appel à l'évangélisation de toute la terre, avec citation complémentaire de psaumes 9, 9 et 97, 9, — deux versets presque identiques. Le psaume est cité ailleurs, sans commentaire : en I 4, §§ 2-3, les vv. 1, 3-5, 7-8 et 10 a-b ; en II 3, §§ 18-19, les vv. 1-4, 7 a, 8 a et 10 a-b.

2. Le *Commentaire* (*PG* 23, 1217 c-1224 d)

Le psaume immédiatement précédent (le 94e), finissait, dit Eusèbe, sur une menace contre «cette génération, ce peuple au cœur égaré, qui n'entrera pas dans (le lieu de) mon repos». Voilà pourquoi le Seigneur se tourne vers les nations, en leur envoyant ses apôtres pour leur annoncer le «chant nouveau» du psaume, l'Évangile (1217 c-d) : si le mystère de la création leur échappe,

---

12. Expressions qui reviennent constamment dans la *Préparation évangélique*, comme l'«erreur polythéiste» (ci-après, n. 18). Cf. *PE* I 5, 1, 2-3 et l'index de Mras s.v. πλάνη (II, p. 570), complété ci-après (p. 142) ; *PG* 23, 1221 b fin, dans le commentaire du psaume 95 ; 1076 c 3 et 1101 c 3-4, dans celui du psaume 88.

ils apprendront du moins à bénir Dieu (1220 a), « en déposant l'erreur démoniaque du polythéisme », τὸ τῆς δαιμονικῆς καὶ πολυθέου πλάνης ἀποθέμενοι (1221 b ; cf. 692 a).

A partir de 1221 c 13, le Coislin fait défaut, et le texte devient incertain [13]. Le commentateur entend ἄρατε θυσίας (v. 8) de la suppression des sacrifices sanglants, et cite, en faveur du sacrifice spirituel qui les remplacera, Malachie 1, 10-11 et Romains 12, 1.

IV. Psaumes 88 et 131

1. La *Démonstration*

La *Dém. év.* associe plusieurs fois ces deux psaumes, qui rappellent les promesses de Dieu à David. En IV 16, le paragraphe 21 cite 88, 39-40 et 51-52 ; les paragraphes 23-28 citent 131, 11, 17-18, puis 3-7. En VI 12, les paragraphes 4-6 citent, sans commentaire, le psaume 88, vv. 27-30 ; puis 4 b-5 et 36-38 a ; et ainsi font les paragraphes 7-8 pour le psaume 131, vv. 1-2, 11, 17-18. En VII 1, les paragraphes 144-151 citent 88, 26-30, puis 36-38 a, 39-41 a, 45 b-46, ensuite de nouveau 39 et enfin 50. En VII 2, les paragraphes 28-41 citent 131, 1-7, 10-11, 17-18, puis reprennent isolément tel ou tel verset. En VII 3, les paragraphes 2-5 citent 88, 27-29, 4 b-5, 36-38 a, 30 a ; enfin 131, 11. En VIII 1, les paragraphes 55-56 citent 88, 27 a, 28, 29 a, 37-38 a.

2. Le *Commentaire* sur le psaume 88 *(PG 23, 1069 b-1124 b)*

V. 3. Les promesses de Dieu à David ne concernent pas la terre mais le ciel, où elles s'accompliront (1072 d ; cf. 1073 b, 1080 c début).

V. 4-6. Dieu jure par « le saint de Dieu », c'est-à-dire son Fils unique ; il répond au serment de David par le sien (1073 c-d,

---

13. D'après R. Devreesse, *op. cit.,* p. 118, n. 30, « de ce qui est imprimé sur la fin du ps. 95 la plus grande partie revient à Hésychius de Jérusalem et à Théodoret ». Il signale ensuite (p. 118) les extraits « égarés dans cette bigarrure ».

1076 a fin : ἀντομνύει), «lui rendant ainsi grâce pour grâce»,
ἀντιδιεοὺς αὐτῷ χάριν ἀντὶ χάριτος (1076 b). Sur quoi porte le
vœu de David ? Sur l'érection du temple : il «lui poignait le
cœur» (δαχθεὶς τὴν ψυχήν, 1076 c 10) de voir tant de sanctuaires élevés à «l'erreur démoniaque du polythéisme» (τῇ
δαιμονικῇ καὶ πολυθέῳ πλάνῃ, 1076 c 3)[14]. Mais ce n'est pas
David lui-même qui devait bâtir la maison de Dieu ; c'était le fils
que Dieu lui promet d'assister : longue citation de 2 Sam. 7, 1-17
(1077 b- 1080 b).

C'est l'église des saints qui confessera au ciel l'accomplissement des promesses divines (1080 c-d), dont la plus grande est
celle du rejeton qui possédera un trône éternel (1081 a).

V. 7-8. Le prophète inspiré a vu des yeux de l'âme la gloire du
Fils unique (1081 d) ; car c'est à celui-ci qu'on ne peut comparer,
encore moins égaler les puissances célestes et les saints ; mais
avec le Père, le Dieu de l'univers, l'idée même d'une telle
comparaison serait une impiété (1084 a mil.). La fin de ce
commentaire du v. 7 distingue, comme Eusèbe le fait souvent
non sans danger , «le fils de David et le Fils de Dieu qui habitera
en lui» (1084 c) ; cf. C. Curti, ap. *Augustinianum*, 13, 1973,
pp. 490-492.

Aux vv. 9-11, Eusèbe souligne la grandeur unique du Fils
parmi les enfants de Dieu (1085 c) et son empire sur la mer
(1088 a-d).

V. 12-13. La puissance de Dieu sur les éléments garantit son
pouvoir de tenir ses promesses (1089 a-d). La création du Borée
(l'Aquilon) et de la «droite», dans les versions de Symmaque et
d'Aquila, exclut la gauche, comme précédemment (1092 c ;
cf. 678 b l'exégèse du psaume 90, v. 7 ; ci-dessus, p. 91). Le
Thabor et l'Hermon sont liés plus que d'autres montagnes à la vie
terrestre du Sauveur, spécialement à la Transfiguration (1092 d).

V. 16-19. La jubilation du peuple de Dieu se justifie : il
connaît le Sauveur qui l'éclaire de sa lumière et manifeste sa joie
par des sacrifices spirituels. Ce peuple est heureux parce que sa
force repose sur le Sauveur qu'annoncent les prophètes.

V. 20-25. Le temple que Dieu «rend» à David en échange de
celui qu'il en a reçu, c'est le Fils, descendant de David, en qui

---

14. Cf. n. 12 et 18.

habite le Verbe : le Sauveur lui-même appelle son corps un temple (Jn 2, 19).

V. 26-29. Ces versets ne peuvent s'appliquer à David lui-même, mais bien à son descendant, celui qui détruit l'«erreur diabolique de l'idolâtrie», τὴν διαβολικὴν καὶ εἰδωλικὴν... πλάνην (1101 c 3-4) [15]. C'est lui la «corne».

V. 30-35. Accomplissement des promesses faites à la «corne».

V. 36-38. Dieu se conforme à la coutume en les ratifiant par un serment ; mais elles ne concernent que le règne spirituel de son Fils, non la perpétuité d'un royaume temporel en Judée.

V. 39-46. La véracité de Dieu se montre par la venue du Fils, à qui, selon l'annonce de Gabriel à Marie, il donnera le trône de David. L'humiliation prédite se réalisera dans la Passion, sans préjudice de la gloire future.

V. 47-49. La faiblesse de l'homme est un titre de plus à l'accomplissement des promesses : Dieu ne l'a pas créé en vain.

V. 50. Le rappel des miséricordes de Dieu rejoint le début du psaume, qui invite à les chanter éternellement.

V. 51-33. Le Christ accepte l'opprobre en se chargeant de nos péchés. A la fin de cette dernière section, Eusèbe explique les divers emplois de *diapsalma,* qui, dans le psaume 88, marque surtout les tournants de la pensée.

V. PSAUMES MESSIANIQUES DE *DE* IV 16

Ce chapitre de la *Démonstration* groupe plusieurs psaumes messianiques, avec d'autres textes prophétiques d'Amos, Habacuc, Jérémie, Isaïe et du Ier livre de Samuel. Les psaumes cités sont surtout : 2, 19, 27, 44, 83, 88, 109, 131. Nous venons de voir ce qui concerne les psaumes 88 et 131 ; voici pour les autres.

Ps. 2 (paragraphes 1-8). Deux preuves du plan divin sur l'Incarnation : les contradictions que le Sauveur suscite, son empire sur les nations (§ 8).

Ps. 19 (paragraphes 9-14). Le salut ne nous vient que par la Résurrection du Christ.

---

15. Cf. n. 14.

Ps. 27 (paragraphes 15-17). La prière du Christ s'adresse au Père, de qui dépend tout salut.

Ps. 83 (paragraphes 18-21). Eusèbe en rapproche Is. 53, 2-4 (éclairé par la Résurrection), et montre la supériorité des églises chrétiennes sur les synagogues juives et les temples païens.

Ps. 44 (paragraphes 47-48). L'onction de Dieu avec l'«huile d'allégresse» ne peut concerner que le Christ.

Ps. 109 (paragraphes 55-56). Eusèbe cite le début de ce psaume si évidemment messianique ; il le citera plus longuement (vv. 1-5 a) aux paragraphes 1-2 de V 3.

Les psaumes 44 et 83 reviennent ailleurs : V 2 cite largement le psaume 44, et le court chapitre VI 4 se réduit presque à la citation du psaume 83, vv. 8b- 10. Mais les psaumes réunis en IV 16 ne sont pas seuls messianiques ; il pourrait s'y ajouter, par exemple, le psaume 97, mentionné plus loin (= VI 6), et le psaume 71 (= VII 3 ; cf. II 16) ; le psaume 117 (= IX 18).

VI. Psaumes 40, 54 et 108

Après les promesses messianiques, voici, au 1. X de la *Démonstration,* les prédictions de la trahison de Judas et de la Passion ; celle-ci occupe le chapitre 8, étudié ci-dessus ; les chapitres 1-3 commentent les psaumes 40, 54 et 108, en les appliquant au Sauveur trahi.

Du psaume 40, le chapitre 1er commence par citer intégralement le texte (paragraphes 1-2). Il cite aussi (paragraphes 6-7) les vv. 1-7 du psaume 73 et (paragraphe 8) les vv. 1-2 du psaume 78, puis revient au psaume 40 pour en reproduire (paragraphes 16-17) les vv. 5-13 dans la version de Symmaque, jugée plus claire (σαφέστερον ; p. 449, 12 H.)[16]. Il note ici l'accord (ἰσοδυναμεῖ ; 449, 24) entre cette version et celle

---

16. Qualificatif déjà décerné à Symmaque par Origène et devenu lien commun ; cf. D. Barthélemy, *Eusèbe...,* p. 52 et n. 6. Si Eusèbe préfère souvent aux LXX les traducteurs du IIe siècle de notre ère, «il adopte plus fréquemment dans la *Démonstration* le texte d'Aquila, dans les commentaires sur Isaïe et sur les Psaumes celui de Symmaque, bien qu'à l'occasion il puisse combiner les trois interprètes (donc aussi Thédotion) et les LXX en une sorte de *Diatessaron*» (D.S. Wallace-Hadrill, *Eusebius of Caesarea,* p. 87). Cf. aussi D. Barthélemy, *Eusèbe...,* surtout pp. 54-55.

d'Aquila ; plus loin, la « loi de sympathie » (450, 12) qui unit le Christ et ses membres, selon 1 Cor 12, 26-27.

Ps. 54. Le chapitre 2 prélude au commentaire en citant les vv. 2-6 (pagraphe 1) et 10-15 (paragraphe 2). Les paragraphes 3-7 rapprochent les vv. 13-15 et ps. 40, 10 ; en 54, 15, la version de Symmaque (paragraphe 7), « nous qui avions ensemble une douce intimité », est la plus exacte (cf. *Comm. PG* 23, 481 c 3). Vient ensuite l'application à Judas, « familier » du Christ (γνωρίμου paragraphe 10 ; p. 455, 7 H.), et à tout le peuple juif. Le trouble décrit par le psaume est celui de l'agonie (paragraphes 11-12) ; mais cet esprit de vertige n'empêche pas le Messie d'avoir reçu aussi un « esprit de force » (Is. 11 2 ; paragraphe 16). Rapport de ce psaume au psaume 21 (paragraphes 17-18) ; le commentaire du psaume 21, on l'a vu, termine le 1. X de la *Démonstration*. — Pour ce psaume 54, le *Commentaire (PG* 23, 479-495), qui appartient à la partie bien éditée par Montfaucon d'après le Coislin 44, explique longuement que David ne peut parler ici en son nom : le psaume ne convient ni aux lieux, ni à ses relations avec Saül. C'est une prophétie de la Passion, avec la note finale d'espoir en Dieu.

Le psaume 108, « le plus nourri des psaumes imprécatoires » (Osty), occupe le chapitre 3. Tout d'abord (paragraphe 1), Eusèbe cite les vv. 1-8. L'application à Judas a été faite par Pierre au Ier chapitre des *Actes,* où l'apôtre cite, après 68, 26 a, le v. 8. Eusèbe la développe jusqu'à la fin du chapitre, en rappelant (paragraphes 6-12) les détails de la trahison ; il finit, avec le psalmiste, sur la note de salut et d'action de grâce.

VII. Autres psaumes cités par la *Démonstration*

Le psaume 32 (vv. 6-9), cité en V 5, 1-5, est un hymne à la toute-puissance de Dieu ; Eusèbe en rapproche (paragraphe 6) le début du psaume 148.

Le psaume 37 n'est pas cité.

Du psaume 17, action de grâce de David pour la protection divine, Eusèbe cite en VI 11, les vv. 10-12 et 44-46 ; il les applique à l'abaissement du Fils de Dieu et à la vocation des Gentils. Les chapitres suivants du 1. VI interprètent dans le même sens de l'avènement du Seigneur les psaumes 46 (= VI 2) et 49 (= VI 3) ; 83 (= VI 4) et 95 (= VI 5) ont été étudiés ci-dessus ; viennent ensuite les psaumes 97 (= VI 6), 106 (= VI 7), 116-117 (= VI 8), 143 (= VI 9), 147 (= VI 10). Deux fois (VI 3, 4 ; 6, 3), Eusèbe dit que le psaume (en l'occurrence le 49e, puis le 97e) peut se rapporter au second avènement du Sauveur.

Du psaume 67 (= IX 9), Eusèbe cite les vv. 25-28 ; il applique les marches et les processions d'Israël à la vocation des apôtres.

Les plus longues citations reproduisent presque tout le psaume 40 (2-13 = X 1, 1-2 ; 5-13 reviennent en X 1, 16-17) et la majeure partie du psaume 90, étudié ci-dessus (1-13 = IX 7, 1-3). Les deux psaumes 40 et 90 sont très souvent cités ailleurs, à raison d'un ou deux versets chaque fois. Très souvent et parfois largement cités : les psaumes messianiques 44, 88 et 108. Les citations du psaume 21 remplissent une colonne et demie du *Stellenregister* de Heikel, mais la plus longue (21, 7-9 = X 8, 54) ne dépasse pas trois versets.

VIII. Autres psaumes d'après le *Commentaire*

Nous nous bornerons à quelques indications sur les psaumes 51-94, où le texte du *Commentaire* est celui du Coislin 44 (cf. *PG* 23, c. 441, n. 1) [17].

Le commentaire du psaume 52 (452 b-454 b) note le lien entre ce psaume et le psaume 13, presque identique, où l'appel au salut continuait bien le psaume 12 (452 d). La subversion a corrompu les « notions communes » (κοιναὶ ἔννοιαι) que Dieu avait mises dans l'homme, et supprimé tout Dieu (456 c). 456 d 4 rapproche l'« erreur polythéiste » et l'idolâtrie ; 464 a associe l'« erreur

17. On trouvera de nombreux extraits des Pères chez [Dom Cl. Jean-Nesmy], *La tradition médite le psautier chrétien* (I : ps. 1-71 ; II : ps. 72-150), Paris, Téqui, 1974. Pour les psaumes 51-95, j'ai consulté, outre la Bible d'E. Osty-J. Trinquet (*Le livre des psaumes*, Lausanne, 1971), le commentaire d'E. Podechard (*Le psautier*, I, ps. 1-75 ; II, ps. 76-100 et 110, Lyon, 1949-1954). Pour les ps. 95 (v. 4 sv.)-150, références des chaînes ap. R. Devreesse, *Studi e Testi*, 264, 1970, pp. 118-145.

idolâtrique» (cf. 693 c) et l'«erreur polythéiste», réunies en 544 a dans le commentaire du psaume 58 : τῆς πολυθέου καὶ εἰδωλολάτρου πλάνης. La formule la plus fréquente est πολύθεος πλάνη, qui revient encore en 652 a, 684 c, 692 a, 872 b, 1020 a, 1184 c 3, 1185 c 7 et d 9[18].

Le psaume 54 a été étudié ci-dessus (paragraphe 6) avec les psaumes 40 et 108.

Les psaumes 55-56 supposent les deux épisodes où David, réfugié chez le roi de Geth, se trouve dans une grotte ; Eusèbe, qui n'omet jamais ces rapprochements, laisse au lecteur le soin d'appliquer 56, 5 « à Saül ou aux calomniateurs de David auprès de Saül, aux Géthéens ou à des ennemis invisibles» (509 d fin). Les vv. 6-7 rappellent l'Incarnation (512 a-b) ; 6 et 12 invitent le Dieu «humilié» à s'élever au-dessus des cieux et à «reprendre son trône» (512 a 10-11, 516 d 4-5).

Le psaume 57 se rapporte aux mêmes circonstances que le précédent (517 a). A propos des vv. 5-6 : ce n'est pas Dieu qui rend l'âme sourde ; elle se ferme volontairement, en violentant sa nature faite à l'image de Dieu (521 b).

Le psaume 58 rejoint 55-56 ; c'est le troisième épisode de l'hostilité de Saül.

La seconde partie du psaume 59 s'ajoute à celle du psaume 56 pour former le psaume 107 (561 c-d). La «droite» du v. 7, c'est le Christ (564 b). La «ville forte» qu'au v. 11 désire voir le prophète, c'est l'Église de Dieu après la conversion des Gentils.

La pierre du psaume 60 est aussi le Christ ; citation de 1 Cor 10, 4 (577 c).

Entre le psaume 61 et le psaume 38, le Yedoutoun des *Chroniques* (I 16, 37 sv.) fait le lien ; Eusèbe découvre d'autres rapprochements entre les deux.

---

18. Cf. n. 12. Jusqu'à ce qu'il paraisse un lexique analogue au *Lexikon Athanasianum* de Guido MÜLLER (Berlin, 1952), il faut se contenter des index partiels qui terminent les éditions des *GCS*. Voici quelques compléments à celui de J. Ziegler pour le *Commentaire sur Isaïe*, s.v. *πλάνη (l'astérisque de Ziegler, p. 468, signale qu'il manque des références) : avec ἄθεος, 247, 5 ; avec δαιμονική, 160, 15 ; 220, 5 ; 293, 22-23 ; 394, 20 ; avec εἰδωλόλατρος 92, 22 ; 118, 10 ; 233, 11 ; 237, 17 ; 284, 23 ; 287, 1 ; 294, 7 ; 397, 4-5 ; avec τῆς εἰδωλολατρίας 278, 21 ; 279, 9 ; 297, 35 (sans τῆς 407, 18) ; avec πολύθεος 20, 26 ; 120, 19 ; 126, 10 ; 131, 35 ; 262, 19 ; 265, 1 ; 290, 18 ; 380, 7 ; 393, 15. Pour la *Démonstration,* voir p. 126-127. Pour les autres œuvres, p. 133-142. Pour le *Comm. sur Luc,* p. 149.

A propos du psaume 62, de nouveau placé dans la bouche de David (cette fois errant au désert : I Sam. 22-23), Eusèbe note que la suite des psaumes ne correspond pas à celle des faits (600 c-d) ; c'est celle de la pensée (601 d 1-2 : μὴ κατὰ τοὺς χρόνους ἐμφέρζεθαι ἀλλὰ κατὰ τὴν τῆς διανοίας ἀκολουθίαν). Autre raison : les psaumes ont été mis dans l'ordre où Esdras ou quelque autre prophète les retrouvait.

Ps. 63. La situation est celle des psaumes 55-58 (617 c-d). La victoire finale de l'homme de Dieu est celle de Dieu lui-même, mais aussi de tous les saints (624 b).

Ps. 64. L'action de grâce pour les bienfaits de Dieu, création et récoltes, culmine au v. 14 c, qui doit s'étendre à tous les êtres (645 d).

Ps. 65. Vocation des Gentils, appelés à louer Dieu dans ses œuvres ; mais aussi action de grâce, collective, puis individuelle (Osty d'après Podechard).

Ps. 66. « Action de grâce collective pour la fête de la moisson » (Podechard, p. 285 et Osty en note ; mais au titre : « le salut pour toutes les nations »).

Ps. 67. Hymne des grandes étapes de l'histoire du peuple de Dieu. Au début, Eusèbe rappelle que les trois psaumes précédents prédisaient la vocation des Gentils ; celui-ci fait de même, mais en outre il est messianique (677 d) [18bis].

Ps. 68. Supplication individuelle. Sur l'interprétation messianique du psaume dans le N.T., Podechard (p. 304) réunit les principaux textes. Eusèbe l'adopte dès les premiers versets, en les comparant au v. 23 du psaume 67 (724 c).

Ps. 69 = 40, 14-18 (à quoi Podechard renvoie, p. 304). Mais Eusèbe commente séparément 40, 1-13 et 69, 1-6.

Ps. 70. Supplication individuelle : « prière d'un vieillard exposé au danger » (Osty). Vv. 1-3 = 31, 2-4 a. Sur le v. 7 : « prodige » du Dieu-homme ressuscitant les autres et mourant sur une croix (777 c). Sur le v. 13 : les Gentils sont revenus de « l'erreur héritée de leurs pères », τῆς πατροπαραδότου πλάνης (781 a ; cf. In Isaiam, p. 229, 6 Ziegler ; et 1 Pt 1, 18).

Ps. 71. « Prière pour un nouveau roi... un des joyaux de la

18bis. Sur le v. 14, cf. G. Curti ap. *Paradoxos politeia. Studi patristici... G. Lazzati*, Milan, 1979, pp. 195-207.

littérature messianique» (Osty). «Les Septante, à partir du v. 4 jusqu'au v. 16 inclus, et ensuite au v. 17 b-d, mettent le verbe au futur, ce qui est sans doute une interprétation messianique» (Podechard, p. 313). Le psaume occupe une section (ζ') du l. VII de la *DE* : chapitre 3, 18-27.

Ps. 72 : «L'énigme de la prospérité des méchants... psaume didactique ou de sagesse» (Osty).

Ps. 73. Après une dévastation du temple (plutôt celle de 587, Podechard, pp. 325-326), supplication («lamentation» Podechard) collective (Osty).

Ps. 74 : «hymne à Yahvé justicier» (Osty). Eusèbe note (868 c) les deux emplois d'ἐξομολογεῖσθαι «confesser» : avec «les péchés» (ps. 73) ou «les bienfaits reçus» (ps. 74) ; cf. 1172 c in. et *Eccl. theol.* III 2, 12 (p. 141, 18-22 Klostermann ; *PG* 24. 976 b med.).

Ps. 75 : «hymne à Yahvé vainqueur» (Osty) ou «à la gloire de Yahvé» (Podechard, *Le Psautier,* II, 1954, p. 29). Eusèbe note le lien avec le psaume 74 (876 b-c).

Ps. 76 : «psaume *mixte,* supplication individuelle suivie d'une hymne» (Osty). La providence de Dieu attentive aux supplications (888 d). Le v. 21 ne suffit peut-être pas pour entendre de l'exode les vv. 17-20 (901 ab). Ces versets sont une hymne pour Podechard (II, p. 36).

Ps. 77 : «psaume *historique* («comme les psaumes 104 et 105», Podechard, II, p. 44)... méditation sur l'histoire d'Israël» (Osty).

Les psaumes 78 et 79 sont des supplications ou lamentations collectives (Podechard, Osty). Les vv. 18-19 du psaume 79 sont messianiques pour Eusèbe, qui comprend avec Symmaque «nous serons appelés de ton nom», donc «chrétiens» ; «comment les Juifs n'ont-ils pas reconnu ici le Fils de l'homme ?» (968 b) [19].

19. En 968 c fin, Eusèbe applique le verset 4 b (cf. 8 b), «fais briller ta face», «à ceux qui n'ont pas encore connu la manifestation (*épiphaneia*) du Christ et à cause de cela n'ont pu encore obtenir le salut» (J. DANIÉLOU, *Études d'exégèse judéo-chrétienne,* Paris, 1966, p. 16). «C'est le mot ἐπίφανον qui a appelé secondairement l'allusion à l'ἐπιφάνεια» (*ibid.*). Sur *épiphaneia,* cf. *ibid.,* pp. 24-25.

Le psaume 80 est *mixte* (Osty) : louange (vv. 2-5 b), puis oracle qui appelle à la fidélité. Sur le v. 17 : « c'est le Christ même qui est la pierre » (961 b 7-8).

Mixte aussi le psaume 81, « contre les juges prévaricateurs » (Osty). Eusèbe lui compare le psaume 49 (981 c-d), qui a été séparé des psaumes 72-82 (tous « d'Asaph ») pour continuer le psaume 48, consacré aussi au jugement de Dieu (992 a : cf. 443 b-c). Les juges condamnés sont les dieux païens (Podechard).

Le psaume 82 est une « supplication collective » (Podechard, Osty) ; le psaume 83, un « chant de pèlerinage » (Osty), « hymne à la louange du temple et de Yahvé lui-même » (Podechard). Ce psaume et le suivant se rapportent à la venue du Sauveur (1004 a) ; le bonheur de qui habite la maison de Dieu doit s'étendre à tous les hommes (1017 a).

Le psaume 84 est *mixte*. La seconde partie (vv. 9-14) annonce « le règne de Yahvé, un règne qu'on peut qualifier de messianique sans le Messie » (Podechard, II, p. 92). Il continue le précédent (Eusèbe, 1017 b-c) ; mais les vv. 4-7 concernent Israël (1020 d).

Le psaume 85 est une supplication individuelle assez tardive (Podechard, II, p. 98), insérée entre deux paires de psaumes sur la vocation des Gentils (les psaumes 83-84 et 86-87, 1028 c-d). C'est la prière de qui n'ose pas appeler Dieu son père (1029 b). Et le v. 9 ramène la vocation des nations, κλῆσις τῶν ἐθνῶν (1033 a).

Le psaume 86 est un « hymne à la gloire de Sion » (Podechard), celle du ciel (Eusèbe). Le Sauveur aussi y est né (1048 d), l'homme qu'a habité le Verbe (1049 a), et c'est pourquoi tous doivent y naître : Babyloniens, Éthiopiens... (1049 d). Après ce psaume sur la naissance du Sauveur en viendra un sur sa mort (1052 b-c, 1053 b).

Ps. 87. Supplication (Osty ; « lamentation » Podechard) individuelle, d'un malade incurable. Le début rappelle celui du psaume 21 (1053 c). Au v. 6, *éleuthéros* « libre » (de la mort) ne peut s'appliquer qu'au Christ mort et ressuscité (1056 d-1057 a) ; cf. le *prôi* du v. 14 (1064 c).

V. 11 et 13 : les « merveilles » sont (1064 a) les miracles accomplis au Saint-Sépulcre, dont l'église fut dédiée en 335, ce qui met les commentaires des psaumes après cette date (Montfaucon ap. Migne, c. 1063, n. 1).

Ps. 88. Supplication en apparence individuelle, en réalité collective ; cf. pp. 93-95.

Ps. 89. *Id.* ; mais psaume mixte, avec élément didactique (Osty). « Prière de Moïse, l'homme de Dieu » (Podechard, II, p. 124). Il y prédit, d'après Eusèbe, la ruine du peuple de Dieu ; pour Eusèbe ce n'est pas un psaume (1132 b) ; le commentaire interprète historiquement les « mille ans » du v. 4 (1133 c) [20].

Ps. 90. didactique ; cf. pp. 90-92.

Ps. 91. « Hymne au Dieu de justice » (Osty), assez tardif (Podechard). Longue discussion sur le sabbat, matériel pour les Juifs, spirituel avant Moïse et pour Dieu lui-même quand il considère les réalités hypercosmiques, ἐν τῇ αὐτόσε αὐτοῦ περιωπῇ (1168 b 11) ; Migne traduit ce dernier mot par *consideratio* ; la présence d'αὐτόσε empêche le sens platonicien (*Polit.* 272 e 4) et numénien (fr. 12 ; cf. la n. 2 du fr. 2) de « guette, observatoire ». La joie du v. 5 s'applique à la contemplation des œuvres de Dieu, sensibles et spirituelles ; Eusèbe cite *Sag.* 13, 5 et *Rom.* 1, 20 (1176 a). L'insensé du v. 6 supprime la Providence en attribuant ses œuvres à la fatalité et à la nécessité ou au hasard (1176 b). — Bon résumé de ce commentaire ap. *La tradition médite le psautier chrétien* [21].

Sur un point particulier, la signification du sabbat, l'exégèse du psaume 91 permet de préciser les préoccupations d'Eusèbe et sa dépendance par rapport à Origène. C'est ce que W. Rordorf a observé, en comparant les col. 1168 b-1172 b de *PG* 23, dont il fait le n° 44 de son recueil, et le paragraphe 4 de l'homélie 23 d'Origène sur les *Nombres,* son n° 37. On relira ces pages dans les traductions d'A. Méhat (pour Origène) et d'E. Visinand. Les citations bibliques choisies et interprétées par Origène se retrouvent littéralement au début du commentaire d'Eusèbe (1168 b-c) ; « mais, par la suite, il concentre, beaucoup plus concrètement qu'Origène, tous les devoirs sabbatiques religieux sur un seul jour précis ; et comme il vit à une époque où le

---

20. Cf. J. SIRINELLI, *Les vues...,* p. 468 et n. 10.
21. C. JEAN-NESMY, *La tradition...,* II, pp 503-505.

dimanche est devenu un jour de repos officiel, il en fait sans hésiter le sabbat chrétien »[22].

Ps. 92. Psaume du règne de Yahvé. — Résumé (en trois morceaux) ap. *La tradition médite...*, II, pp. 509-512.

Ps. 93. Psaume « didactique » (Osty), « de sagesse » (Podechard, II, p. 145). Sur les vv. 9-10, « *nemo dat quod non habet* » : ce « syllogisme » fonde pour Eusèbe le dogme de la Providence (1200 a).

Ps. 94. Psaume « mixte... apparenté au ps. 80 » (Osty). C'était à matines l'invitatoire du psautier romain (Podechard, II, p. 152). Au v. 1, δεῦτε, dans l'Écriture, « appelle toujours à un bien » (1208 c-d) ; mais alors que celui du v. 1 encourageait, celui du v. 6 convie à la pénitence (1213 a). Devant le refus des Juifs (cf. la fin du psaume), Dieu s'adresse aux Gentils. — Résumé du psaume ap. *La tradition médite...*, II, pp. 522-523.

Le psaume 95, psaume du règne de Yahvé comme 92, a été étudié pp. 92-93.

IX. Psaumes 37 et 49

Dans le premier tiers du psautier, ces deux psaumes sont les seuls pour lesquels nous disposons d'une base sûre : Garnier pour le psaume 37 dans l'édition des *Spuria* de Basile le Grand (*PG* 30, 81-104)[23] ; R. Devreesse pour le psaume 49 d'après le *Vaticanus graecus* 1789, du Xe siècle[24]. Dans ce dernier commentaire, probablement incomplet, « l'ordre des pensées et des développements est net : c'est un enseignement sur le jugement, dans lequel on remarque, en particulier, d'intéressantes réflexions sur la loi naturelle »[25]. Ajoutons l'invitation au culte en esprit, qui est l'idée centrale du psaume ; si cependant les

22. W. Rordorf, *Sabbat et dimanche dans l'Église chrétienne*, version française par Étienne Visinand, Willi Nussbaum, Neuchâtel, 1972, p. 81, n. 1. Pour l'ensemble des nos 37 (Origène) et 44 (Eusèbe) cf. pp. 68-71 et 78-85 ; texte original, parfois amélioré, en face de la traduction française.

23. Cf. M. Geerard, *Clavis patrum graecorum*, II, Turnhout, 1974, p. 263.
24. Cf. R. Devreesse, *Revue biblique*, 33, 1924, pp. 78-81 ; M. Geerard, *l.c.*, p. 264.
25. R. Devreesse, *ibid.*, p. 81.

sacrifices n'apportent rien à Jahvé, ils ne laissent pas de l'honorer[26].

Quant au psaume 37, « lamentation ou supplication individuelle »[27], ce poème « n'est certainement ni parmi les plus originaux ni parmi les plus anciens du psautier »[28]. Son premier verset est identique à celui du psaume 6, et Eusèbe insiste sur la parenté, συγγενῆ, entre les psaumes 6 et 37 (*PG* 30, 84 a). Il applique le v. 12 aux anges qui se tiennent en pleurs loin de l'âme pécheresse, dont la vertu auparavant faisait leur joie (97 b).

X. PSAUME 118

Pour le psaume 118, la *Chaîne palestinienne*[29] contient les éléments d'un commentaire eusébien sur les versets suivants : 1-2 b (p. 188 Harl) ; 9 b (p. 204) ; 13 b (p. 210) ; 19 b (p. 218) ; 20 b (p. 220) ; 28 c (p. 236) ; 29 c (p. 238) ; 30 b (p. 240) ; 32 b (pp. 242-244) ; 33 b (p. 248) ; 34 b (p. 250) ; 43 c (p. 264) ; 57 b (p. 280) ; 65-66 a, b (pp. 292-294) ; 68 c (p. 296) ; 70 c (p. 300) ; 74 c (pp. 308-310) ; 77 c (p. 314) ; 80 b (p. 316) ; 81 b (p. 318) ; 91 c (p. 336) ; 110 d (p. 352) 3 ; 108 b (p. 366) ; 116 c (p. 376) ; 121 b et 122 b (p. 386) ; 123 b (p. 388) ; 127 b (p. 394) ; 130 d (p. 400) ; 132 a (pp. 402-404) ; 138 d (p. 410) ; 140 b (p. 412) ; 143 b (p. 416) ; 148 d (p. 424) ; 154 b (p. 432) ; 164 d (pp. 450-452) ; 170 c (p. 462) ; 173 f (p. 468) ; 175 d (p. 470).

Sur le « raisonnement partant du monde créé », si fréquent dans les psaumes ((8, 4-5 ; 94, 9 ; 103, 13 ; 139, 13-18…), cf. A.-M. Dubarle, *La manifestation naturelle de Dieu d'après l'Écriture* (Lectio divina, 91), Paris, pp. 41-47. Pour l'ensemble 95, 4-150 (qui fait suite au contenu du Coislin 44), C. Curti fait espérer une reconstitution du commentaire d'Eusèbe d'après des

---

26. Cf. E. PODECHARD, *Le Psautier,* I, Trad. littérale et explication historique, Lyon, 1949, p. 229.
27. ID., *Ibid.,* p. 173.
28. ID., *ibid.,* p. 175.
29. *La chaîne palestinienne sur le psaume 118* (Origène, Eusèbe, Didyme, Apollinaire, Athanase, Théodoret), introduction, texte grec critique et traduction par Mrg. Harl, avec la collaboration de G. Dorival (Sources chrétiennes, 189-190), Paris, 1972 ; cf. ma recension in *Revue de philologie,* 1973, pp. 344-345.

manuscrits des XIIᵉ-XIIIᵉ siècles provenant d'une chaîne commune [30]. Ailleurs, il montre qu'en ce qui concerne la relation entre le Père et le Fils, Eusèbe s'avance dans le sillage d'Arius : « Il linguaggio relativo al Padre e al Figlio in alcuni passi dei 'Commentarii in Psalmos'... » *Augustinianum*, 13, 1973, pp. 483-506) ; c'est le subordinatianisme qui se retrouve partout chez Eusèbe et que nous devrons signaler aussi dans le commentaire sur Isaïe [31].

XI. Autres citations des psaumes chez Eusèbe

1. *Préparation évangélique*

L'inventaire de K. Mras (II, p. 436) relève une soixantaine de citations des psaumes dans le *PE* (plusieurs à travers Clément et Denys d'Alexandrie ou Origène). Voici les plus longues :

Ps. 21 (22), 28-29 + Ps. 95 (96), 10 = *PE* I 1, 9 ;

Ps. 103 (104), 24 et 27-30 = *PE* XI 18, 11, entre deux citations de Numénius (fr. 12 et 13 des Places) ;

Ps 148, 1-6 = *PE* VII 15, 17.

Et en voici quelques-unes commentées par Eusèbe.

— III 10, 12. Les cieux sont l'œuvre des mains de Dieu (ps. 8, 4 ; 101 [102], 26 ; ils ne sont pas Dieu lui-même. Comme ici la citation de 101, 26, celle de 18 [19], en XII 52, 33 est suivie d'Isaïe 40, 26 : « levez les yeux en haut ».

— VII 15, 17 = ps. 148, 1-6 : toute la création, tous les êtres au service de Dieu.

— XI 10, 15-16. « L'interprétation que Plutarque donne de l'E de Delphes apparaît à Eusèbe comme un commentaire des mots de l'A.T. ἐγώ εἰμι ὁ ὤν et du psaume 101, 28 σὺ δ'ὁ αὐτὸς εἶ » (E. Norden, *Agnostos Theos*, Leipzig, 1913, p. 233) [32].

— XI 12, 2. La lumière de la *Lettre VII* de Platon qui jaillit

---

30. Cf. ci-dessus, p. 91, n. 11.

31. Voir ci-après la section 12, « L'arianisme du *Commentaire sur les Psaumes* », et pp. 128-130, « Le second Dieu » (dans la *DE*).

32. Cf. aussi Numénius, fr. 13 (22 L.), 1. 3 des Places, avec la note 2 (p. 108).

dans l'âme rappelle à Eusèbe les psaumes 4, 7 (lumen vultus tui) et 35 [36], 10 (in lumine tuo…).

XI 18, 11-12. Accord du fr. 12 de Numénius (surtout l'ἀποσϭέννυσϑαι) avec ps. 103 [104], 27-30.

— XII 18, 5 : après le passage du 1. II des *Lois* sur les affections et répulsions bien ordonnées, Eusèbe cite le psaume 33 [34], 12-15.

— XII 21, 7. Sur le véritable bonheur, Platon s'accorde avec tout l'ensemble des psaumes ; Eusèbe a cité au paragraphe 6 le psaume 11, et au début du paragraphe 7 le psaume 48 [49], 17.

— XIII 7, 4-5. Accord de *Criton* 49 a-e (ne pas rendre le mal) avec le psaume 7, 5 et l'Évangile.

2. *Commentaire sur Isaïe*

Dans ce Commentaire, les citations ne sont jamais très longues, mais certains versets ou stiques sont cités plusieurs fois.

Du *Stellenregister* de J. Ziegler [33] retenons les versets le plus souvent cités dans ce *Commentaire,* dont il fournit les références.

Ps. 36, 11 et 71, 7 : la « grande paix » (πλῆθος εἰρήνης) revient quatre fois d'après le psaume 36, cinq fois d'après le psaume 71.

Ps. 45, 5 a, « les canaux d'un fleuve réjouissent la ville de Dieu » : neuf citations [34].

Ps. 64, 10 c « le ruisseau divin est plein d'eau » : cinq citations.

(Ps. 74, 9 : « il y a une coupe en la main de Yahvé »… : la citation termine un long développement sur « le vin de la colère », d'après Ezéchiel et Isaïe.)

Ps. 110, 10 a « le principe de la sagesse est la crainte de Yahvé » : cinq citations.

Ps. 114, 9 « je cheminerai devant Yahvé sur la terre des vivants » : quatre citations.

33. *Griechische christliche Schriftsteller, Eusebius Werke,* IX, *Der Jesajakommentar* herausg. v. Joseph Ziegler, Berlin, 1975, pp. 417-418. Cf. ma recension ap. *Biblica,* 58, 1977, pp. 117-120.

34. Ces citations ont été mises dans leur contexte par J.B. BAUER, « Zions Flüsse, Ps. 45-46, 5 » (*Memoria Jerusalem. Freundesgabe Franz Sauer zum 70. Geburtstag,* Graz, 1977, pp. 59-91), pp. 72-73.

XII. L'ARIANISME DU COMMENTAIRE SUR LES PSAUMES

En matière trinitaire, le *Commentaire* s'accorde avec des œuvres postérieures au concile de Nicée, comme le *Contra Marcellum* et le *De ecclesiastica theologia* (vers 336-337), mais aussi avec un ouvrage antérieur comme la *Démonstration évangélique* (entre 312 et 320). En fait, si Eusèbe souscrivit la condamnation d'Arius et le credo de Nicée, il n'a jamais renié ses convictions arianisantes [35]. C'est ce qui ressort, en particulier, des commentaires suivants :

Ps. 81, dès le premier verset [36] ;

Ps. 88, v. 7 [37] ;

Ps. 85, vv. 8-10 [38] ;

Ps. 95, vv. 1-2 [39] ;

Ps. 98, v. 1 [40] et 6-9 [41].

L'article de C. Curti auquel j'emprunte ces indications annonce une édition du *Commentaire* des psaumes 51-100 dans la *Corona Patrum*. Le texte reposera : sur le Coislin 44 (C) jusqu'à 78, 3 ; sur ce Coislin et sur Patmos S. Jean 215 (P) de 78, 4 à 83, 3 ; sur Coislin, Patmos et Ambros. F 126 sup. (A) de 83, 4 à 95, 3 ; sur Patmos et Ambr. de 95, 4 à 100 [42].

---

35. C. CURTI, « Il linguaggio relativo al Padre e al Figlio in alcuni passi dei 'Commentarii in Psalmos' di Eusebio di Cesarea » (ap. *Augustinianum,* 13, 1973, pp. 483-506), p. 483.

36. ID., *ibid.,* pp. 485-490.

37. ID., *ibid.,* pp. 490-492

38. ID., *ibid.,* pp. 493-497.

39. ID., *ibid.,* pp. 497-499.

40. ID., *ibid.,* pp. 499-503.

41. ID., *ibid.,* pp. 503-506.

42. ID., *ibid.,* p. 485, n. 6. Cf. ci-dessus, p. 91, n. 11.

EUSÈBE COMMENTATEUR D'ISAÏE

1. Isaïe dans la *Préparation évangélique*

L'inventaire de K. Mras (II, p. 437) relève une quarantaine de citations (une douzaine à travers Clément, trois à travers Origène, dont la plus longue est 45, 1-4 = VI 11, 22). La plus longue des citations directes est 14, 12-14 (avec des omissions) = VII 16, 4.

2. Isaïe dans la *Démonstration évangélique*

Les citations d'Isaïe remplissent six colonnes du *Stellenregister* de Heikel ; un certain nombre comprennent au moins quatre versets : 6, 9-12 = II 3, 81 ; 8, 14 = VII 1, 15 ; 8, 16-20 a = IX 14, 1 ; 10, 18-23 = II 3, 95-96 ; 14, 12-15 = IV 9, 4 ; 17, 4-8 = II 3, 129 ; 19, 1-4 = VI 20, 1 ; 25, 1-4 et 6-8 = II 3, 17-18 ; 28, 3-6 = II 3, 135 ; 35, 1-7 = VI 21, 1 ; 42, 1-7 = IX 15, 1 ; 49, 8-13 = II 2, 17-18 ; 52, 5 b-10 = VI 24, 1 ; 53, 3 b-8 = III 2, 54-56 ; 59, 1-11 = II 3, 25-29 (la plus longue citation) ; 65, 8-12 = II 3, 140-142. On voit que le livre II de la *DE*, consacré aux prophètes, fait à Isaïe la part du lion, surtout ch. 3.

3. Le *Commentaire sur Isaïe*

Alors que celles des autres œuvres d'Eusèbe qui nous ont été largement conservées citent plus ou moins abondamment les auteurs non bibliques, le commentaire d'Isaïe, dont on peut se faire maintenant une idée plus complète grâce à l'édition de J. Ziegler[1], n'offre jusqu'ici[2] qu'une citation étrangère à la Bible : Josèphe, *Antiquités,* XI 1-2 *(In Is.,* 45, 8 ; p. 290, 25-30 Zie.)[3].

Sur le fond et la tendance du commentaire, qu'il soit permis de renvoyer à la recension déjà citée de *Biblica*[4]. D'après Montfaucon dans sa préface au commentaire, Jérôme ne trouve rien ici qui sente l'arianisme comme c'était le cas pour l'exposition des psaumes *(PG* 24, 84 c) ; mais la phrase que j'ai tirée de l'édition Ziegler (p. 36, 6-8) ne figure pas dans celle de Montfaucon *(PG* 24, 121 d, dernières lignes), où manque également le prologue du commentaire. Dans l'exégèse de 53, 2 (p. 344, 35 sv. Zie.), Eusèbe «établit une nette distinction entre les deux natures du Christ, entre ce qui relève du 'nouveau-né' d'une part et ce qui relève du 'bras de Dieu' identifié au Monogène d'autre part »[5]. «Cette identification du Monogène et du 'bras de Dieu' reste dans la ligne des tendances subordinatianistes d'Eusèbe[6]. »

Le Laurentianus XI 4 (F), auquel nous devons tant de compléments, commence par des considérations sur la lettre et le sens, sur l'usage de l'allégorie et du symbole, qui pourraient venir d'Origène et en tout cas éclairent la méthode d'Eusèbe commentateur. On n'en trouve pas l'équivalent dans le prologue de Jérôme[7], et il ne sera pas inutile de les traduire (p. 3, l. 1-17 Zie.).

---

1. *Eusebius Werke,* IX, *Der Isaiaskommentar,* Berlin, 1975. Cf. ma recension ap. *Biblica,* 58, 1977, pp. 117-120.
2. Il est probable que dans son intégralité le commentaire citait plus souvent Josèphe (ZIEGLER, p. XLIV).
3. Cette citation manque chez Migne (24, 412 c) ; le commentaire de 45, 8 s'y réduit d'ailleurs à quelques lignes.
4. *Biblica, l.c.,* p. 117.
5. J.-M. VAN CANGH, ap. *Revue biblique,* 80, 1971, p. 389.
6. ID., *ibid.,* p. 390.
7. *Corpus christianorum, Series latina,* 73, *S. Hieronymi presbyteri opera,* I 2, *Commentariorum in Esaiam libri* I-XI et XII-XVIII, éd. M. ADRIAEN, Turnhout, 1963. Sur Origène chez Eusèbe, cf. M. CALOZ, *Etude sur la* LXX *origénienne du psautier,* Fribourg et Göttingen, 1978.

(1) L'esprit montrait le révélé au prophète tantôt avec une clarté qui rendait inutiles les figures allégoriques dans l'application des mots, et suffisant le recours à la lettre pure ; tantôt par des symboles qui signifiaient d'autres réalités, en suggérant par des mots et des substantifs expressifs un autre sens[8], comme dans les songes de Joseph : il se voyait adoré par des étoiles au nombre de onze, ce qui semblait indiquer ses frères ; une autre fois, il voyait ses frères recueillir les épis, par manière d'allusion à la famine. De même, le prophète en question voyait la plupart de ses oracles à travers des symboles ; beaucoup aussi ont été rendus globalement sur le même sujet, car les uns étaient tissés selon la lettre, d'autres selon le sens ; c'est ce que l'on constate aussi dans les enseignements du Sauveur, où l'on a consigné cette parole de lui : «Ne dites-vous pas : encore quatre mois et la moisson arrive ? Levez les yeux et voyez la campagne, comme elle blanchit déjà pour la moisson. » Voilà d'une part le texte littéral, de l'autre le sens ; et on trouverait une infinité d'autres cas semblables à ceux de notre prophète, chez qui on trouverait des énoncés dont le sens tient à la lettre même, comme celui-ci : «Que m'importe la multitude de vos sacrifices ? dit le Seigneur ; je suis rassasié d'holocaustes », et la suite ; alors que le sens est seul en cause dans cet autre : «Une vigne est échue au bien-aimé, à l'angle (du champ), en un lieu fertile », et la suite.

---

8. En deux lignes, tout le vocabulaire de l'allégorie : les « tropes » ou figures de style (J. PÉPIN, *Mythe et allégorie*, Paris, 1958, p. 88 et n. 22, citant les *Allégories homériques* du Pseudo-Héraclite) ; la «lettre» opposée au «sens» : cf. *PE* VIII 10, 18 fin, cité et traduit par J. PÉPIN, *ibid.*, p. 222 et n. 1 (ce sont les deux cas cités par Mras, II 554, s.v. διάνοια) ; et sur la lettre, cf. H. DE LUBAC, *Histoire et esprit*, Paris, 1950, p. 113 sv. ; sur le sens caché (*hyponoia*), *ibid.*, p. 122 (et voir *PE*, II-III, S.C. 228, pp. 21-22) ; sur la *dianoia*, *ibid.*, p. 125 et n. 179. Dans le commentaire, p. 32, 1-2, ῥητῶς s'oppose à κατὰ διάνοιαν ; mais λέξις et διάνοια peuvent ne pas s'opposer ; cf. *In Is.* 4, 1 (p. 24, 7) ἡ τῆς λέξεως διάνοια. Voir à ces divers mots (et leurs synonymes) l'index de J. Pépin, VI, «termes techniques de l'allégorie» (pp. 497-500) ; on complétera (et rectifiera) son livre par les articles de H. DE LUBAC, «A propos de l'allégorie chrétienne », in *Recherches de science religieuse*, 47, 1959, pp. 5-43 ; «Typologie et allégorisme », *ibid.*, 34, 1947, pp. 180-226 ; cf., dans ce dernier tome, J. GUILLET, «Les exégèses d'Alexandrie et d'Antioche. Conflit ou malentendu» (pp. 257-302). Pour la *Démonstration*, voir p. 123 sv.

Chap. 1. — Après des questions de chronologie (4), le § 5 commente le v. 2, et le § 7 le v. 3 : le bœuf et l'âne, chers à l'imagerie de Noël, montrent plus d'intelligence de leur Dieu que le peuple juif, pourtant comblé de privilèges et (paragraphe 8) de châtiments éducatifs ; ici vient le verset quasi proverbial Prov. 3, 12. En un beau mouvement, le § 11 dénonce l'irrémédiable déchéance d'Israël, qui a repoussé le seul médecin capable de guérir « toute maladie et toute langueur » [9]. L'οὐκ ἔστιν ἐν αὐτῷ ὑγιές de Symmaque (cf. Is. 1,6 et 53, 5), cité ici par Eusèbe, est passé dans la liturgie du Vendredi-Saint : « non est in eo sanitas ».

Au paragraphe 13, la vigne abandonnée donne lieu à un développement pittoresque sur le rôle de son gardien, qui la surveille « comme du haut d'une guette », ὡς ἀπὸ σκοπῆς (p. 7, l. 12). L'expression remonte à Platon (sous la forme περιωπή, *Politique,* 272 e 4 ; cf. Numénius, fr. 12, l. 20 de mon édition) ; σκοπή se trouvait chez Numénius, à propos du Bien Premier (fr. 2, l. 7), et l'expression même ὡς ἀπὸ σκοπῆς chez Philon, *Spec. leg.*, III 48 [10].

Le paragraphe 16 applique les « mains pleines de sang » de 1, 15 au déicide des Juifs ; la cause de leur condamnation est moins l'idolâtrie que le rejet du Sauveur, cette « audace contre le Christ », τὴν κατὰ Χριστοῦ τόλμαν 8, 27 [11].

Chap. 2 — La fin du paragraphe 28 note que 2, 22 est une addition (du Marchalianus Q *in margine* d'après Swete), κατὰ προσθήκην [12] ; pour Eusèbe, c'est une exhortation à ne pas « mettre son espoir dans les hommes » ; le long commentaire de Jérôme (pp. 40-41 Adriaen) interprète autrement.

Chap. 3 — Au paragraphe 29, Eusèbe conclut de 3, 1-11,

---

9. Matthieu, 9, 35 ; 10, 1 ; expressions souvent reprises, et jusque dans le *De mysteriis* de Jamblique (III 31 ; 176, 6-7 et 178, 8 P.) ; cf. *Les mystères d'Égypte,* éd. et trad. par É. DES PLACES, 1966, p. 144, n. 2.

10.. Cf. Numénius, *fragments,* id., 1973, p. 104, note complémentaire 2 du fr. 2 ; et v. ci-dessus, p. 103.

11.. Voir les références aux textes parallèles ap. *Biblica,* 1977, p. 117, en ajoutant 14, 22-23 ; 30, 28-29. Pour la *DE,* voir p. 128.

12. Même remarque chez Jérôme (*Corp. Chr.* 73, p. 39 Adriaen) : « Hoc praetermisere LXX, et in graecis exemplaribus ab Origene sub asteriscis de editione Aquilae additum est. » Pour A. Condamin (1905, pp. 19-20), les vv. 20-22 « sont une glose ».

comme plus haut de 1, 15, que si les Juifs ont perdu leurs
«glorieux privilèges de jadis» (p. 23, l. 13-14), c'est moins en
raison de l'idolâtrie que de l'athéisme de leurs desseins contre le
Seigneur (p. 21, l. 21-23 ; p. 22, l. 36-37). Ils se sont condamnés
eux-mêmes en criant : «Lions le juste, car il nous est
contraire »[13].

Chap. 4 — Paragraphe 31 fin, l'homme unique est le Sauveur,
les sept femmes sont les sept dons du Saint-Esprit, qui n'ont
trouvé que lui pour les recevoir (cf. Is. 11, 2 b-3 a).

Chap. 5 — Paragraphe 33. «Dans un angle» (v. 1),
littéralement «à la corne», parce que «l'Écriture a coutume
d'appeler cornes les royaumes» (p. 29, l. 16-17) ; on pense au
chapitre 8 de Daniel.

Chap. 6 — A la fin du paragraphe 42, Eusèbe n'omet pas de
signaler que le stique «son tronc est un germe saint», signalé par
Swete comme appartenant à la marge de Q, manque dans nos
manuscrits mais se trouve sous diverses formes chez Théodotion
(d'où vient Q *in margine*), Aquila et Symmaque. Ce serait «la
première manifestation d'une idée chère à Isaïe, l'idée d'un *reste*
qui échappera au châtiment et à la ruine des impies» (Condamin,
1905, p. 46). Dans quelle mesure Eusèbe a-t-il utilisé pour ce
chapitre 6 le commentaire d'Origène, que nous a conservé la
première homélie de celui-ci sur Isaïe (Baehrens, 1925, pp. 242-
248) ? Il pense plus au peuple juif, alors qu'Origène applique
davantage le texte au pécheur, en qui «le Christ ne règne pas
encore» (p. 245, 19 Baehrens).

Chap. 7 — Paragraphe 43. Une belle période paraphrase la fin
du v. 4, à condition de rectifier la ponctuation de J. Ziegler, en
mettant une virgule à la place du point après πολέμιοι (p. 45, 25)
et une autre à la place du point en haut après συμφέροντι[14]. En
voici la traduction : «Même si, au pire, ma puissance éducatrice,
que les Écritures ont coutume d'appeler colère, vous a poursuivis
précédemment pour confondre vos prétendus dieux, — vous
placiez en eux votre confiance, alors qu'ils s'avéraient néant, —
quand les ennemis vous ont assujettis à leur joug, toutefois, parce

---

13. Is. 3, 10 a = Sag. 2, 12. Cf. «Le juste crucifié», ap. *Studia patristica,* IX,
1966, pp. 30-40 = *Platonismo et tradizione cristiana,* Milan, 1976, pp. 131-139.
14. Cf. *Biblica,* 58, 1977, p. 118, 2°.

que ma colère n'est pas permanente comme Dieu lui-même est bon, lui qui vous a frappés d'abord pour votre bien, maintenant encore je guérirai toutes vos plaies, si, revenus de votre erreur première, vous avez appris la vraie religion. [15] »

Au v. 13, ce n'est pas Dieu mais le prophète qui parle : « sûrement c'est Isaïe qui dit : vous fatiguez encore *mon Dieu* » [16]. Eusèbe l'avait noté : « C'est le prophète en propre personne (ἐξ οἰκείου προσώπου) qui ajoute la suite. »

La longueur des phrases d'Eusèbe, tourment du traducteur, n'est pas sans tromper parfois l'éditeur ; aux corrections signalées naguère [17] pour la page 48 Ziegler (sur Is. 7, 14), il devrait s'en ajouter au moins deux p. 49 : l. 2, virgule au lieu du point après ἐπωνύμῳ (ἀλλ᾽ introduit l'apodose, après εἰ γὰρ καὶ τὰ μάλιστα ; ἐντεῦθεν ἤδη s'oppose à μακροῖς ὕστερον χρόνοις) ; l. 21, virgule encore au lieu du point après χαριούμενον : la phrase continue, dans le superbe mouvement de toute la page sur les noms de Jésus et d'Emmanuel. Si Isaïe, dit Eusèbe, en s'adressant à la maison de David lui enjoint d'appeler le fils de la Vierge « Emmanuel », c'est que le futur au pluriel καλέσουσιν ne convient qu'à l'humanité tout entière (ὑπὸ πάντων ἀνθρώπων, 49, 16), alors qu'ici la maison de David est la bénéficiaire directe de la venue du Messie. Dans l'annonce faite à Joseph (Mt 1, 23), Eusèbe préfère aussi le καλέσεις de D, — qui d'après lui correspond à l'hébreu, — au καλέσουσιν alexandrin. Origène, lui, notait la différance entre le *vocabis* des manuscrits du prophète et le *vocabunt* de Matthieu ; mais il préférait également le singulier et estimait que la prophétie s'adresse, à travers la maison de David, à nous « qui sommes l'Église de Dieu » (p. 250 Baehrens). Eusèbe conclut (p. 50, l. 3-4) : « Invoque-le donc, lui qui, dit l'Écriture, n'est pas loin de nous mais constamment présent et attaché (παρόντα καὶ συνόντα) à ceux qui l'invoquent [18]. »

Chap. 8 — Paragraphe 5 fin. Le v. 14 oppose la sanctification,

---

15. Cf. X. Jacques, « Colère de Dieu », in *Christus,* nᵒ 97, janv. 1978, pp. 100-110.

16. A. Condamin, *Le livre d'Isaïe,* 1905, p. 50.

17. *Biblica,* 58, 1977, p. 118.

18. Voir pp. 179-180 la traduction du commentaire de 7, 14.

ἁγίασμα, que le Seigneur apportera à qui croira en lui, et la pierre d'achoppement, le « rocher de scandale », qu'il sera pour les incrédules. Eusèbe entend encore ces expressions de l'enfantement virginal (p. 59, 7), et il en rapproche le « scandale pour les Juifs » de la *Ire aux Corinthiens* (1, 23). La *Ia Petri* fait la même application (2, 6-8) ; Eusèbe, qui cite ailleurs les versets 5 et 9 du chapitre 2, ne paraît pas se référer aux versets intermédiaires.

Chap. 9 — Les v. 1-6, certainement messianiques, confirment le caractère messianique du chapitre 7, admis de toute l'exégèse catholique avec l'annonce de la conception virginale du Christ [19]. A propos du v. 6, Eusèbe commente avec bonheur l'« Ange du grand conseil », titre qui met le Messie au-dessus des anges comme des hommes : notre Sauveur « était pour les nations l'ange, l'annonciateur du salut quand il venait servir le conseil amoureux (φιλανθρώπῳ) du Père » (p. 66, 1-2). On peut dire, avec J. Guillet [20], que le genre des v. 1-6 est une première forme de l'Évangile, l'annonce de la bonne nouvelle. Le type des évangiles sera Is. 40, 9-11 ; or, ce passage rappelle un peu Is. 9, 1-6. « Le commentateur moderne rejoint l'exégète du IVe siècle ; pour lui, plus nettement que pour Eusèbe, 'Un fils nous a été donné' nous ramène à l'interprétation messianique d'Emmanuel [21] ; à l'espérance messianique Isaïe apporte une figure, la promesse d'une personnalité définie » [22].

Chap. 11 — Eusèbe, qui cite souvent les versets 2-3 sur « les sept dons de l'Esprit », n'y insiste pas ici. Au v. 1, « le rameau sorti du tronc de Jessé... est évidemment un nouveau David » [23] ; mais la prophétie du chapitre 7, que complètent les oracles des chapitres 9 et 11, « ne voit pas seulement dans le Messie un

---

19. A. CONDAMIN, *ibid.*, pp. 62 et 68 ; A. Feuillet, in *Recherches de science religieuse*, 30, 1940, p. 129 et n. 1 ; A.-M. Dubarle, in *Revue biblique*, 85, 1978, pp. 362-380, surtout pp. 377-378.

20. *Les prophètes*, Lyon-Fourvière, 1969 (*ad usum privatum*), p. 39.

21. *Ibid.*, p. 43.

22. *Ibid.*, p. 44. Il faut compléter le commentaire des chapitres 6-9 par celui qu'en donne le long chapitre Ier du l. VII de la *DE*. Pour les chap. 9 et 16, ci-après, p. 116.

23. A. FEUILLET, in « Le messianisme du livre d'Isaïe » (*Recherches de science religieuse*, 36, 1949, pp. 182-228), p. 186.

nouveau David, antithèse d'Achaz incrédule (cf. v. 13), mais comme un nouveau premier homme, tout à la fois point de départ et personnification... d'une communauté de croyants »[24].

Chap. 14 — Les v. 12-20, sur l'exaltation et la chute de « Lucifer », qui visent selon la lettre un roi de Babylone, ont toujours été appliqués à Satan dans l'exégèse patristique[25]. Eusèbe le dit en une phrase qui termine son étude des vv. 8-23 : « Cet argument prophétique était énoncé à propos du roi de Babylone ; il est temps de le transférer à cette puissance, qui s'est enorgueillie d'acquérir auprès de ses sujets la réputation d'être dieu et qui se voit justement confondue par ces paroles ».

Chap. 9 et 16 — Avec J. Sirinelli (pp. 482-483), il faut rapprocher les commentaires de ces deux chapitres, surtout à propos de 16, 1-5 et de 9, 6-7. « Eusèbe ne peut imaginer la royauté future (du Christ) que sous la forme d'une assemblée du type de l'Église... Le Seigneur s'assiéra sous la tente de David, c'est-à-dire avec toute une assemblée d'élus... : 'Il appelle *tente de David* l'Église, et trône sur cette tente le président de l'Église, qui occupe le trône corporel en le gardant comme la propriété du Christ' (*In Is.* p. 109, 19-21 Zie.)... Retenons la liaison qui s'établit nécessairement entre le trône de David et l'Église et donc entre l'Église et la (seconde) Parousie... Réalisation et éclatante manifestation d'une situation déjà existante. » Voilà pour Is. 16, 1-5. L'explication de 9, 6-7 n'est pas moins intéressante. « Eusèbe y lit le texte suivant : 'J'amènerai la paix aux maîtres', et il ajoute : 'Qui sont ces maîtres, si ce n'est les hommes qu'il a établis à la tête de son Église ? Je veux dire ses disciples et ses apôtres et ceux qui ont pris leur succession à travers l'ensemble de l'*oikouménè*' (p. 67, 9-12 Zie.). « Pour Eusèbe donc, dans un contexte où il s'agit surtout de la royauté future du Christ, il semble tout naturel de trouver également une prophétie s'appliquant aux princes de l'Église... Le trône de David, c'est une présidence dont les chrétiens responsables assurent l'intérim ». Et J. Sirinelli de conclure (p. 483, n. 3, fin) : « On voit mal... ce que doit ajouter de substantiel la Parousie à

---

24. ID., *ibid.*, p. 193.
25. Les principaux textes (y compris celui d'Eusèbe) sont cités en latin par J. KNABENBAUER, *Commentarius in Isaiam prophetam*, Paris, 1887, I, p. 324 sv.

cette royauté de l'Incarnation définie comme éternelle ». Ces
lignes préparent bien le jugement final sur la position d'Eusèbe :
« La Parousie, dont l'échéance est elle-même indécise, ne
constitue pas en elle-même une date essentielle » (p. 484).

Chap. 19 — La nuée légère sur laquelle le Seigneur est assis
représente l'humanité que le Sauveur prend pour descendre
parmi les hommes et faire en sa petite enfance le voyage
d'Égypte. « En un sens plus profond, l'Égypte avait particulièrement besoin de la présence du Sauveur, vu son extrême
superstition, son fatalisme astral, sa zoolatrie qui déifiait les
animaux » (p. 125, 3-7). S'il séjournait en Égypte, « c'était pour
faire revenir [26] les Égyptiens de l'erreur à la raison et dissiper loin
d'eux leurs erreurs » (p. 31, 29-30).

Chap. 22 — L'eau détournée de la piscine entre les deux
remparts est la « tradition des anciens » (Mt. 15, 2) dont sont si
fiers les interprètes officiels, les « deutérotes » (p. 146, 6-8) ; les
pierres des maisons remployées pour construire une muraille, ce
sont les paroles de la Sainte Écriture qui leur servent à fortifier
leurs mythes (p. 146, 11-14). De même le Somnas du v. 15 figure
le sacerdoce institué chez les Juifs selon la loi de Moïse, tandis
que l'Eliacin du v. 20, « interprété résurrection de Dieu »,
symbolise le sacerdoce nouveau établi dans l'Église par la
Résurrection du Sauveur (p. 148, 31-149, 4).

Chap. 28 — Le sevrage du v. 9 s'applique aux apôtres (p. 181,
14-15) ; leur avenir n'apparaissait pas dans leur bas âge, quand ils
étaient à la mamelle et que la loi de Moïse leur servait de
pédagogue ; mais ils ont accédé au maître parfait (191, 20).

Le v. 16 est, avec le v. 22 du psaume 117, la source principale
de 1 Pt 2, 4-7, où le commentaire de l'apôtre précède, comme
d'ordinaire, la citation expresse du verset d'Isaïe [27]. Eusèbe le
rapproche (p. 183, 16-26) de la promesse du Christ : « sur cette
pierre je bâtirai mon Église » (Mt 16, 18) et de Daniel 2, 34-35,

---

26. ἀνανῆψαι p. 131, 30 ; cf. τῶν... πλανωμένων ἀνδρῶν ἀνάνηψιν 267, 17.
Le commentaire d'Isaïe 19 a de nombreux parallèles dans la *Démonstration
évangélique*, VI 20 ; les démons « nichés (ἐμφωλεύοντες) dans les statues des
dieux » (ξόανα) sont ainsi décrits en *Comm. in Is.* p. 125, 30-32 Z. et en *DE*,
p. 287, 7 Heikel. Sur 19, 1-4, voir ci-après (pp. 157-169). Sur (κατὰ) βαθύτερον
(νοῦν), cf. U. Riedinger, p. 160 et n. 2 : βαθύτερον = « mystique ».

27. Cf. pp. 191-192 et n. 1.

où « la pierre est le corps humain du Sauveur ; la montagne, sa divinité ».

Chap. 30 — Aux v. 25-27, Eusèbe note le passage des promesses temporelles (pour les *sômatikoi*) à celles des biens futurs (pour ceux qui méritent une annonce plus divine : p. 199, 23-24 ; cf. 200, 7-9 ; 201, 19-20) ; le prophète introduit ainsi le jugement général, καθολικῆς (p. 201, 22).

Chap. 35 — « Mon peuple », au v. 22, « n'est plus le peuple d'Israël mais celui qui aura accueilli la première venue du Sauveur » ; aussi « verra-t-il la gloire de la seconde » (p. 228, 11-14).

Chap. 38 — Le début de la prière d'Ézéchias donne à Eusèbe l'occasion de réaffirmer son antifatalisme. Le § 14 nous apprend qu'« il n'est pas de nécessité fatale (ἀνάγκη τις εἱμαρμένης Ziegler : ἀνάγκη τις ἢ εἱμαρμένη Migne) pour la vie humaine, et qu'il n'a pas été fixé (ὥρισται) aux hommes une heure irrévocable (ἀπαράτρεπτος... καιρός) de leur mort » (p. 241, 10-11). Ces formules résument tout un chapitre de la *Préparation évangélique* (VI 6)[28]. Eusèbe ajoute : « Voilà donc totalement réfutée la thèse de la fatalité, si la nécessité même, comme toute essence, toute nature, dépend du Dieu souverain maître » (p. 241, 19-21). Et le supplément de vie accordé au roi prouve que ni une nature désordonnée (φύσει ἀτάκτῳ) ni une nécessité inflexible (ἀνάγκη ἀπαραιτήτῳ) n'ont déterminé (ὥρισται) la mort des hommes (p. 242, 8-9). Plus loin, le début du paragraphe 17 oppose « les sages de ce monde, qui rapportent le Tout à un automatisme, à une conjoncture naturelle, à une nécessité fatale, et le Seigneur de la théologie, qui organise tout avec mesure et nombre » (p. 253, 24-27). Cette dernière formule vient de la *Sagesse*, 11, 20[29]. Tout le commentaire du chapitre 40 s'inspire du Sage, qui fournit « la contemplation analogique du Créateur à partir de la grandeur et de la beauté des créatures » (p. 254, 1-2 = Sag. 13, 5). L'idée d'analogie explique d'ailleurs le v. 12 (πρὸς τὴν τοῦ παντὸς ἀναλογίαν, p. 254, 15-16)[30].

---

28. Cf. l'introduction au livre et l'analyse du chapitre dans « Sources chrétiennes », 266 (1980).
29. Cf. *Biblica*, 40, 1959, pp. 1016-1017.
30. Pour les chapitres 40-46, j'ai consulté avec profit P.-E. BONNARD, *Le second Isaïe, son disciple et leurs éditeurs*, Paris, 1972 (traduction, commentaire, lexique).

Chap. 41 — La charge des v. 21 sv. contre les dieux vise en particulier, dit Eusèbe, l'ambiguïté de leurs oracles (p. 266, 16) : thème développé, avec Oenomaüs et à sa suite, dans la seconde partie du 1. V de la *PE* et au 1. VI [31].

Chap. 42 — Ce chapitre continue bien le précédent (σφόδρα ἀκολούθως, p. 268, 1), «en opposant à la condamnation des idoles la prophétie relative au Christ et l'appel consécutif des nations». Au v. 8, «je ne donnerai pas ma gloire à un autre» n'équivaut pas à «je ne donnerai ma gloire à personne», ce qui exclurait toute participation, alors qu'en fait Dieu communique sa gloire à son Christ, mais à lui seul (p. 271, 15-17). Le nom de Jésus, que le Père communique au Fils, est le seul que les nations doivent chanter (ὑμνεῖν 271, 30) ; elles ne célébreront que le Christ de Dieu et le Père qui l'a envoyé (271, 30-31) ; il ne faudra jamais oublier d'associer le Verbe au Père (p. 284, 14-17) ; mais la révélation du Fils unique de Dieu ne pouvait se faire avant l'Incarnation (p. 284, 27-32).

Chap. 43 — A propos des v. 10-11, Eusèbe a cette formule : «S'il n'y a qu'un principe, il n'y aura qu'une divinité (θεότης), ce qui implique la théologie du Fils unique lui-même» (p. 279, 13-14). Le v. 20 nomme parmi les êtres qui béniront le Seigneur les Sirènes : Eusèbe se rappelle probablement celles de l'Odyssée, «qui charmaient d'un plaisir et d'un chant démoniaques les âmes des hommes, dans les fictions poétiques parées d'élégants discours» (p. 281, 18-19).

Chap. 45 — Le v. 13 donne lieu à un beau mouvement : la reconstruction du temple sur l'ordre de Cyrus, puis par les mains de Zorobabel ; il s'agit plutôt de l'Église du Christ (p. 293, 22-28).

Au v. 15, le «Dieu caché» des «autres» traducteurs remplace, à l'admiration d'Eusèbe, le «et nous ne le savions pas» de la LXX [32].

Dans tout ce chapitre 45, — et la remarque s'étendrait à bien d'autres, — Eusèbe cite abondamment des versets isolés ou des expressions du Nouveau Testament ; pas plus qu'ailleurs il

---

31. Cf. mon introduction ap. «Sources chrétiennes», 266.
32. Cf. D. Barthélemy, *Eusèbe...*, p. 55 et n. 2.

n'institue une comparaison avec des ensembles plus vastes tirés des évangiles, des Actes ou des épîtres. Or, le chap. 45 a pu être la source du discours à l'Aréopage. C'est ce qui ressort du parallèle établi par A.-M. Dubarle dans un article de la *Revue des sciences philosophiques et théologiques,* devenu peu après un chapitre de livre[33]. Les souvenirs bibliques, dit l'auteur, l'emportent de beaucoup sur les réminiscences profanes. On peut se demander si Luc avait également en tête la digression de *Sagesse* 13-15 contre l'idolâtrie, où le chapitre 14, en particulier, décrit la fabrication des idoles dans les termes d'Isaïe 44, 9-20 ; 45, 20 ; 46, 1 et 6-7. La question des sources de cette digression pose un problème analogue : quelle est la part respective des influences grecque et scripturaire ? A.-M. Dubarle l'a traitée brièvement dans la même revue[34] : Si « l'influence grecque est restée superficielle..., la *Sagesse* représente une rencontre entre la foi biblique et la culture philosophique et littéraire de la Grèce, sinon la toute première en date, du moins la plus étendue dans la Bible »[35]. Le livre ne reprend pas cet article mais consacre un chapitre à « la connaissance de Dieu par le monde visible d'après le livre de la Sagesse » ; il analyse surtout 13, 1-9, qui « rejette la divinisation des forces naturelles et des astres »[36].

Chap. 48 — Lors du retour de la captivité de Babylone, le v. 21 ne peut s'interpréter littéralement πρὸς λέξιν ou πρὸς ἱστορίαν ; mais il s'applique πρὸς διάνοιαν aux chrétiens libérés de la captivité spirituelle (p. 307, 30-34)[37].

Chap. 49 — La prophétie du v. 23, que les puissances de ce monde se prosterneront devant Dieu, s'est réalisée au temps d'Eusèbe πρὸς λέξιν καὶ πρὸς ἱστορίαν (p. 316, 19-20).

Conclusion du commentaire sur le chapitre 49 : « Le divin est

---

33. Cf. A.-M. Dubarle, O.P., « Le discours à l'Aéropage » (Act 17, 22-31) et son arrière-plan biblique », in *Revue des sciences philosophiques et théologiques,* 57, 1973, pp. 576-610 = *La manifestation naturelle de Dieu d'après l'Écriture* (« Lectio divina », 91), Paris, 1976, pp. 155-206. Tableau des analogies entre Is. 45 et Act 17, 22-31 : pp. 582-583 = 162-163.

34. ID., « Une rencontre entre monothéisme biblique et culture grecque. Sur un livre de M. Gilbert », in *RSPT,* 58, 1974, pp. 253-257.

35. *Ibid.,* pp. 256-257.

36. A.-M. DUBARLE, *La manifestation...,* pp. 127-154 ; ici p. 127 ; et cf. ci-dessus p. 105.

37. Ci-dessus, n. 8.

incorporel, immatériel, intangible et simple ; nous ne pouvons nous le représenter que d'après les exemples à notre portée » (p. 317, 33 sv.).

Chap. 52 — A travers les âmes soumises au démon pour s'être séparées de Dieu, le v. 1 vise « la fille d'Abraham courbée depuis dix-huit ans par la puissance de Satan » (Lc 13, 11 sv.) et Jérusalem invitée à se redresser et à regarder vers le ciel, pour redevenir la ville sainte faite à l'image de Dieu (p. 328, 21-32).

Chap. 53 — Dans les vv. 13-15 du chapitre 52 et ensuite dans tout le chap. 53, « l'interprétation des Pères est unanime à reconnaître... une prédiction de l'œuvre et de la Passion de J.C. » [38]. Eusèbe a également consacré au chapitre 53 le meilleur d'un chapitre de la *Démonstration évangélique* (I 10, surtout paragraphes 15-25), où il cite sur l'Agneau de Dieu, outre les psaumes, nombre de textes parallèles du Nouveau Testament : évangiles de Matthieu et de Jean, épître aux Galates et II[de] aux Corinthiens.

Aquila citait le v. 2 sous la forme ἀπὸ γῆς ἀβάτου, « d'une terre inviolée ». Eusèbe s'attarde à cette citation, « parce qu'il y voit une prophétie de l'enfantement virginal » [39]. La mention d'Aquila, absente de Migne, est un des compléments du manuscrit de Florence [40].

Chap. 56-66 — Dans le « troisième Isaïe », le commentaire d'Eusèbe continue d'opposer la vocation des Gentils à l'incrédulité juive. A propos du chapitre 60, vv. 6-7, il a une note de tendresse rare chez lui, peut-être un souvenir du *Gorgias* de Platon, 485 b-c, où revient trois fois le verbe ψελλίζεσθαι « babiller », en parlant d'un petit enfant : « Ici la prophétie me semble charmer et adoucir l'ouïe enfantine des Juifs charnels pour les attirer et les exhorter à la vie selon Dieu, afin que par là du moins, à défaut d'autre moyen, ils en viennent à désirer les promesses de Dieu, comme on condescendrait à partager le babil d'un petit enfant ; comme si on offrait ce qui paraît le plus

38. A. CONDAMIN, *Le livre d'Isaïe,* 1905, p. 326, citant, *ibid.* n. 1, les principaux témoignages patristiques (dont celui d'Eusèbe) ; cf. pp. 330 et 344. Et voir ci-après, p. 184.

39. J. VAN CANGH, in *Revue biblique,* 78, 1971, p. 386 ; cf. p. 389.
40. ID., *ibid.,* p. 387.

adapté, le plus agréable à l'âge enfantin pour porter l'enfant à ce qu'on veut lui apprendre. C'est ainsi, j'imagine, qu'en livrant, d'une manière voilée, des pensées mystérieuses et divines aux âmes illuminées, la parole approche le peuple juif comme des esprits enfantins et lui présente les promesses dans le langage et le vocabulaire qui lui sont familiers » (p. 373, 1-10).

Chap. 66 — Confiants dans le signe du salut, les apôtres annoncent aux nations la gloire du Fils unique et les préparent à monter au ciel comme Élie (p. 407, 16-23 ; là encore, un beau mouvement).

4. *Appendice*. Le commentaire de Jérôme.

Le commentaire de saint Jérôme se lit maintenant dans l'édition de M. Adriaen : *Commentariorum in Isaiam libri* I-XI et XII-XVIII, ap. *Corpus christianorum,* series latina, 73 et 73 A, Turnhout, 1963. « Eusèbe est pris à partie pour quitter trop aisément les bornes de l'histoire d'Israël et passer à la moindre difficulté sur la voie de l'allégorie, et Jérôme tient à faire savoir qu'il ne lui a rien emprunté [41]. » Mais malgré sa réflexion à 22, 2, — « nous pouvons parler de la captivité de Babylone, bien qu'Eusèbe rapporte tout à l'avènement du Christ et pense aux temps de Vespasien et de Titus » (p. 210 Adriaen), — « l'exemple d'Eusèbe a peut-être contribué beaucoup à pousser dans maintes circonstances le commentateur latin à adopter l'application des oracles isaïens aux temps romains » [42].

---

41. A. ABEL, « Le commentaire de S. Jérôme sur Isaïe » (*Revue biblique*, 25, 1916, pp. 200-225), p. 203.
42. ID., *ibid.,* p. 210.

III

QUELQUES THÈMES DE LA
DÉMONSTRATION ÉVANGÉLIQUE

Bien que nous ayons pu la citer à propos des Psaumes et d'Isaïe, la *Démonstration évangélique* ne se donne pas pour un ouvrage d'exégèse. Comme la *Préparation* qui la précède et l'annonce, c'est une œuvre d'apologétique. Mais alors que la *Préparation* s'adressait aux «Grecs», pour retrouver dans le meilleur de leurs écrits la doctrine de Moïse, la *Démonstration* entreprend d'amener les Juifs à l'Évangile en montrant dans le Christ incarné et ressuscité le Messie prédit par les prophètes. D'où le grand nombre des citations de l'Ancien Testament, parfois assez amples et commentées à longueur de chapitres. Nous n'avons pu expliquer avec Eusèbe des psaumes comme le 90e et surtout le 21e sans faire appel à la *Démonstration*. Celle-ci permet également d'illustrer certains thèmes qui tiennent une place majeure dans l'argumentation d'Eusèbe.

I. SENS LITTÉRAL ET SENS SPIRITUEL

Les oppositions signalées à l'occasion du *Commentaire sur Isaïe*[1] apparaissent fréquemment dans la *Démonstration*. Voici quelques passages tirés des cinq derniers livres[2]. Le livre VI, sur «la vie du Sauveur parmi les hommes», est particulièrement riche.

---

1. Ci-dessus, p. 111, n. 8.
2. L'index d'I.A. Heikel en indique d'autres, s.v. διάνοια (une demi-colonne), θεωρία, λέξις, ῥητός, ῥητῶς, τροπικῶς.

Soit VI 13, 4 (p. 262, 31-32 H.), sur Michée 1, 2 sv. Il s'agit « littéralement », ῥητῶς, des montagnes d'Israël. Mais au paragraphe 6 (263, 17-19), « selon le sens » κατὰ διάνοιαν ou « allégoriquement » τροπικώτερον, les « hauteurs de la terre » où le Seigneur descend désignent les âmes élevées, non les mesquines ; au paragraphe 8, selon un autre allégorisme (τροπικώτερον encore, 263, 24), « elles représentent l'idolâtrie jadis consommée sur les montagnes et les puissances invisibles et dominatrices qui y agissaient et qui furent considérablement secouées et agitées par l'enseignement de Notre Sauveur »[3]. Même opposition à propos de Jérusalem : πρὸς μὲν ῥητὸν καὶ λέξιν... πρὸς δὲ διάνοιαν VI 18, 42 (p. 282, 4-6) ; πρὸς λέξιν... κατὰ τὴν διάνοιαν VI 18, 23 et 26 (p. 278, 15-16, puis 279, 3-5) ; cf. VI 21, 7 (p. 290, 25-26) ; VII 1, 51, ῥητά (ῥητῶς cj. Heikel)... πρὸς δὲ διάνοιαν (p. 307, 18)) ; VII 1, 53, οὐδαμῶς πρὸς λέξιν νοούμενα..., κατὰ μόνην δὲ διάνοιαν θεωρούμενα (p. 308, 3-4). Mais, pour la fuite en Égypte, λέξις et διάνοια coïncident (VI 20, 6 ; p. 286, 6-7). Deux sens spirituels différents se trouvent introduits par τροπικῶς et par κατὰ διάνοιαν : l'oliveraie du Seigneur désigne ainsi successivement l'Église, puis, après qu'une faille a divisé le mont des Oliviers (Zacharie 14, 4), les schismes et les hérésies (VI 18, 28 ; p. 279, 22-25). VII 1, 53 associe κατὰ διάνοιαν et τροπικῶς (p. 307, 29) ; VII 1, 115 (p. 320, 15-16), la « tropologie » sauve le « sens » (διάνοιαν) ; VII 1, 120 (321, 18-19) il faut interpréter les prophéties tantôt littéralement tantôt à travers des « énigmes ».

Voici enfin deux phrases qui éclairent cette conception de l'exégèse. Sur l'étoile des Mages : « Puisque, dans toute l'Écriture sainte et inspirée de Dieu, le but principal du sens interprété consiste à instruire des divins mystères, tout en sauvant partiellement le sens obvie (τὴν πρόχειρον διάνοιαν) des faits historiques, il fallait que la prédiction qui nous occupe s'accomplît à la lettre (πρὸς λέξιν) pour l'astre qui, selon la prophétie, devait accompagner la naissance de Notre Sauveur » (IX 1, 12 ; 405, 35-406, 5). Et, en conclusion du livre X (8, 112) : « Le Sauveur disait : Scrutez les Écritures... (Jn 5, 39). En

---

3. Cf. J. Sirinelli, *Les vues...*, pp. 324-325 : la venue du Sauveur met fin au règne des démons. J'ai largement emprunté sa traduction du passage.

plongeant votre esprit dans chacune des expressions du psaume, vous saisirez le sens exact de la vérité des paroles» (p. 492, 17-18)[4].

Le *Commentaire sur Isaïe* glissait-il, comme le lui reprochait Jérôme, de l'interprétation historique à l'allégorisme[5]? Mais Eusèbe aurait défendu le caractère littéral et historique de son œuvre : pour lui, le sens littéral du texte n'impliquait pas que la narration dût se limiter aux événements contemporains du prophète ; elle embrassait tout ce que l'auteur avait dans l'esprit, et si l'auteur avait dans l'esprit un événement futur, l'accomplissement de la prophétie pouvait relever de l'interprétation littérale. Or «Eusèbe rapporte constamment les versets d'Isaïe à leur accomplissement littéral dans le Christ»[6].

II. Nécessité d'un commentaire ?

En général, l'exposition d'Eusèbe fait honneur à son talent pédagogique. La section précédente a montré le soin qu'il prend de distinguer le sens littéral et le sens spirituel ou l'allégorie. On peut attribuer à un souci comparable le nombre des formules par lesquelles il affirme ou conteste la nécessité d'un commentaire.

Au livre II de la *Démonstration,* le chapitre Ier contient une série de courtes citations des Psaumes, «assez claires pour n'avoir pas besoin d'explication» : σαφῆ ταῦτα, οὐδ'ἑρμηνείας δεόμενα (II 1, 14 ; p. 55, 6 H. ; cf. II 1, 16 = 55, 12 ; II 1, 17 = 55, 16-17 ; II 1, 19 = 55, 26). Après une citation de Baruch (3, 29-38), qui forme le bref chapitre VI 19, l'expression s'élargit : «Il ne faut rien ajouter aux paroles divines, qui établissent

---

4. Cf. D.S. WALLACE-HADRILL, *Eusebius of Caesarea,* p. 110 et n. 2.
5. Cf. D.S. WALLACE-HADRILL, *Eusebius...,* p. 82.
6. ID., *ibid.,* p. 83. Ajoutons ce principe, bien formulé récemment par Jo Tigcheler, *Didyme l'Aveugle et l'exégèse allégorique* (Graecitas christianorum primaeva, 6), Nimègue, 1977, p. 11 : «La tradition chrétienne, étayée en cela par le Nouveau Testament, ne connaît... que deux sens de l'Écriture : le sens littéral et le sens spirituel», ce qu'il explique (n. 1) par deux citations de H. de Lubac : «Il n'y a dans l'Écriture, fondamentalement, que deux sens : le littéral et le spirituel, et ces deux sens eux-mêmes sont en continuité, non en opposition» (*Histoire et esprit,* p. 179) ; «... et ces deux sens sont entre eux comme l'Ancien Testament et le Nouveau ; plus exactement et en toute rigueur, ils constituent, ils *sont* l'Ancien et le Nouveau Testament» (*Exégèse médiévale,* I a, p. 305).

clairement la question » (p. 285, 3-4 H.). Ailleurs, l'examen jugé
nécessaire est remis « au moment approprié » : en V 2, 13
(p. 244, 25-26 H.), après avoir cité quelques versets du
psaume 90, Eusèbe annonce ainsi pour plus tard « de plus amples
considérations » ; ou bien, en VI 1, 4 (p. 252, 25-26 H.) : « le
sens de ces paroles sera examiné en son temps. » En IX 2, 6
(p. 408, 27-29), après avoir commenté Isaïe 19, 1, il écrit : « Le
sens, énigmatique, demande plus longue étude ; nous l'interpréterons à loisir le moment venu » ; en réalité, l'étude du passage a
déjà été faite en VI 20 (où le paragraphe 22 annonce cependant
une « exégèse approfondie ») et VIII 5 [7].

III. L'ERREUR POLYTHÉISTE

L'expression πολύθεος πλάνη, dont les deux termes manquent
à l'index de Heikel, revenait à plusieurs reprises dans les
commentaires sur les Psaumes et sur Isaïe [8]. Elle apparaît près de
20 fois dans la *DE*. Cette fréquence cadre bien avec le propos de
l'œuvre. Dans l'histoire de la civilisation, en effet, la *Démonstration* « dresse un constat d'échec », alors que d'après l'*Histoire
ecclésiastique* « la législation des Juifs se répandit comme une
brise chargée de parfums, suscita l'action des philosophes dans
les autres pays (entendons essentiellement la Grèce) et supprima
la barbarie pour établir la civilisation et la paix » [9]. Au chapitre 10
du livre IV, la *DE* expose comment « la perversité universelle des
mœurs a été telle que les Juifs eux-mêmes ont délaissé leur
législation pour les mœurs des Égyptiens » [10].

Voici les références des formules qui désignent l'« erreur
polythéiste ».

Πολύθεος πλάνη (cf. ci-dessus, p. 94, n. 14) :
I 1, 17 (7, 6 H.) ; I 4, 6 (19, 23 H.) ; I 5, 3 (20, 31 H.) ; et, avec
δαιμονική, I 6, 49 (30, 29-30 H.) ; IX 2, 1 (407, 19-20 H.) ; sans
δαιμονική : I 6, 62 (32, 29 H.) ; III 2, 6 (97, 4 H.) ; III 6, 24

---

7. Mêmes formules VI 18, 53 fin et dans les *Eclogae propheticae,* v.g. I 3 fin ;
cf. J.-R. Laurin, *Orientations apologétiques...*, p. 125, n. 12-13.
8. Ci-dessus, p. 92, n. 12 ; p. 99, n. 18.
9. J. Sirinelli, *Les vues...*, p. 221.
10. Id., *ibid.*, p. 222.

(135, 34-136, 1 H.) ; III 6, 32 (138, 8 H.) ; III 7, 34 (146, 11 H.) ;
IV 10, 14 (167, 10-11 H.) ; IV 12, 9 (170, 23 H.) ; V prooem. 23
(206, 39 H.) et 25 (207, 26 H.) ; VI 13, 10 (264, 3 H.) ; VI 20, 13
(287, 24 H.) ; VIII 5, 3 (400, 27-28 H.) ; IX 16, 7 (439, 8 H.).

Πολύθεος εἰδωλολατρία VII 1, 106 (318, 23 H.) ; et, avec
δαιμονική, VIII prooem. 3 (349, 22 H.).

Εἰδωλόλατρος πλάνη (cf. ci-dessus, p. 92, n. 12) : I 2, 8 (8,
25 H.) ; V 4, 17 (226, 29 H.) ; VI 20, 9 (286, 24 H.) ; VII 1, 103
(318, 4 H.). Πολυπλανὴς εἰδωλολατρία V 30, 2 (248, 30 H.).

Πολύθεος δεισιδαιμονία I 2, 5 (8, 12-13 H.) ; I 6, 32 (27,
29 H.) ; VI 20, 16 (288, 7 H.) ; X 7, 7 (419, 12 H.).

Δεισιδαίμων πλάνη I 6, 50 (30, 36 H.) ; VIII 3, 13 (393,
33 H.) ; IX 14, 6 (435, 17-18 H.).

Δεισιδαιμονίας πλάνη VI 20, 11 (287, 8 H.) ; πλάνη
δεισιδαιμονίας II 1, 5 (53, 28 H.) ; δαιμονικὴ πλάνη V 4, 2
(224, 3-4 H.) ; δαιμονικὴ δεισιδαιμονία V 4, 16 (226, 27 H.) ; cf.
VIII 5, 3 (400, 22-23 H.).

IV. L'AUDACE JUIVE

A l'époque d'Eusèbe, le mot τόλμα « audace » a déjà une
longue histoire philosophique et religieuse, grâce au pythago-
risme, à la gnose et à Plotin. Pour Phérécyde et ses disciples
pythagoriciens, la *tolma* était principe de division et de
séparation et désignait la dyade (Phérécyde, fr. 14 D.-K. =
Lydus, *De mensibus,* II 7, p. 24, 12-13 Wünsch ; Hermias, *In
Phaedrum,* p. 128, 4-7 Couvreur) [11]. Dans les *Oracles chaldaïques*
(fr. 106-107, que H. Lewy avait sans doute raison de réunir), elle
marquait la curiosité excessive de l'homme pour ce qui le
dépasse. Chez Plotin, elle désigne un désir d'altérité,
d'autonomie : « Le principe du mal pour les âmes qui ont oublié

---

11. Autres textes ap. P. Henry-H.-R. SCHWYZER, *Plotini opera,* II, 1959,
p. 260 et E.R. DODDS, *Pagan and Christian in an Age of Anxiety,* Cambridge,
1965, pp. 24-26 ; le τόλμαν que Plutarque, *De Iside,* 75, 381 f, rapproche de
δυάδα a été suspecté à tort. La monographie de N. BALADI, *La pensée de Plotin,*
Paris, 1970, « pourrait bien avoir pour sous-titre : L'audace de Plotin et chez
Plotin » (p. 6) ; cf. son exposé de Royaumont (1969), ap. *Le néoplatonisme,* Paris,
1971, pp. 89-97.

leur Père, c'est l'audace, la génération, l'altérité première et la volonté d'être à elles-mêmes » (*Enn.* V 1, 1, 3-5).

Eusèbe, lui, emploie le substantif τόλμα et diverses formes du verbe τολμᾶν pour caractériser l'impiété des Juifs, qui n'ont pas craint de porter la main sur le Messie et de le mettre à mort.

Voici les références de la *Démonstration* (le mot manque à l'index de Heikel[12]) : I 1, 7 (4, 17-18 H.) μετὰ τὴν κατὰ Χριστοῦ τόλμαν ; cf. III 2, 59 (105, 17-18 H.) et VI 18, 47 (283, 4 H.).

II 3, 84 (76, 10 H.)... τὰς κατ'αὐτοῦ τετολμήκεσαν δυσσεβείας. Cf. VI 15, 7 (270, 27 H.), avec δυσσεβείας ; IX 11, 14 (430, 7-8), avec ἀσεβείας.

VI 13, 4 (263, 4 H.) τὰ κατ' αὐτοῦ τετολμημένα ; cf. VI 15, 2 (269, 30 H.) ; VI 18, 4 (275, 3 H.) ; VI 23, 4 (291, 28 H.) ; IX 13, 10 (433, 19-20 H.) ; X 3, 1-8 (460, 2-3 H.).

VIII 2, 19 (370, 11-12 H.) τῆς κατ'αὐτοῦ τολμηθείσης... ἐπιβουλῆς ; cf. IX, 11, 14 (430, 7-8), avec ἀσεβείας ; X 3, 14 (459, 13-14) μετὰ τὰ τολμηθέντα αὐτοῖς.

VIII 2, 21 (370, 31 H.) τολμήσαντες.

IX 13, 10 (433, 20 H.) τετολμημένων.

V. LE SECOND DIEU

L'« arianisme » d'Eusèbe n'a pas attendu le concile de Nicée pour se déclarer. Assez discret dans les *Eclogae propheticae,* une des premières œuvres, il apparaît en plein jour dans la *Démonstration évangélique,* et par deux fois la traduction de Migne (1843, c. 22, n. 1 ; cf. c. 209, n. 1) note qu'« Eusèbe semble tomber ici dans l'erreur des Ariens » ; la première fois, à propos de I 5, 11 (p. 21, 34-35 Heikel) : « Ce n'était pas le Dieu suprême (qui apparaissait aux patriarches), mais quelqu'un de second, appelé sans doute Dieu et Seigneur des amis de Dieu, mais ange du Père suprême. »

Au 1. IV, le chap. II, — une seule phrase d'un beau mouvement, — décerne au Fils les mêmes attributs que le livre de la Sagesse[13] et le platonisme moyen : intellect en soi, raison en

---

12. Pour le *Commentaire sur Isaïe,* voir ci-dessus, p. 112, n. 11.
13. *Sagesse,* 7, 22-26 ; sur 22-23, cf. *Biblica,* 57, 1976, pp. 414-419.

soi, sagesse en soi (151, 32 H.) ; plus loin viennent l'ἀπαύγασμα
de Sag. 7, 26 (IV 3, 4 ; 152, 34 H.), l'ἀτμίς et l'ἀπόρροια de
Sag. 7, 25 (IV 3, 10 ; 153, 33-34 H.), le τεχνῖτις de Sag. 7, 23
(IV 5, 5 ; 155, 29 H.). Voici la traduction du chapitre II. « Avant
tous les êtres, il met son Fils, la Sagesse premier-née, tout entière
et totalement intelligente, raisonnable, toute sage, ou plutôt
intellect en soi, raison en soi, sagesse en soi, et s'il est permis
d'imaginer dans les créatures du beau en soi et du bon en soi [14], il
le projette hors de lui-même pour en faire la base de ce qui doit
naître, — l'œuvre parfaite de la perfection, le sage édifice du
sage, le fils bon d'un Père bon —, et naturellement, de ce qui par
lui recevra l'être, chef et gardien, sauveur et médecin, pilote qui
a saisi le gouvernail de toute la création ; en suite de quoi, avec
raison, les oracles théologiques le déclarent Dieu engendré,
comme le seul à porter en lui-même l'image de la divinité
ineffable et incompréhensible, image par laquelle il est Dieu et
dit tel en raison de sa ressemblance avec le Premier ; aussi
assurent-ils que le Père se l'est soumis comme un bon serviteur,
pour diriger, comme par un seul instrument vivant et plein de
sagesse, par une règle habile et savante, toute créature corporelle
ou incorporelle, animée ou inanimée, raisonnable ou sans raison,
mortelle ou immortelle, et tout ce qui peut encore exister associé
au reste, pour que, par une seule puissance de l'univers, une
seule loi et raison vivante, présente à tout et traversant tout,
toutes choses s'harmonisent sous un seul lien éminemment sage,
étant rapprochées et enchaînées par le Verbe même et la loi de
Dieu. »

Au long de la *Démonstration* reviennent les mots *deutéros*
« second », *méta* « après », appliqués au Fils ; ainsi IV 3, 6
(p. 153, 11 H.) : « il a été constitué second par rapport à celui
dont il est le fils », δεύτερος οὗ ἐστιν υἱὸς καθέστηκεν ; IV 3, 8
(p. 153, 23-24 H.) : « le premier après l'essence sans principe »,
πρῶτον μετὰ τὴν ἄναρχον... οὐσίαν ; VI 17, 2 (p. 273, 14 H.),
« la seconde cause », τὸ δεύτερον αἴτιον ; VI 20, 2 (p. 285,
17 H.), « le second après le Seigneur », τὸν δεύτερον μετὰ τὸν

---

14. Αὐτοάγαθον (ou mieux peut-être αὐτοαγαθόν) se trouve trois fois chez
Numénius : fr. 16 (dans mon édition de 1973), l. 9 et 14 ; fr. 20, l. 12.

κύριον. Cf. encore IV 16, V 4, V 30 (p. 193, 225, 249 H.), cités par D.S. Wallace-Hadrill [15].

C'est surtout à propos des théophanies qu'Eusèbe prend grand soin de ne pas mettre en cause le Père : le Dieu d'Abraham qui apparut à Jacob n'était pas le Dieu suprême, mais le second après celui-ci (V 10, 6 ; p. 233, 12 H., cf. le texte de I 5, 11 cité au début de la section).

VI. L'ORIGINALITÉ DU CHRISTIANISME

C'est en effet la religion d'Abraham qu'Eusèbe prend comme « archétype » (I 6, 41 ; p. 29, 13 H.) du christianisme ; celui-ci « n'est ni hellénisme, ni judaïsme, mais un culte intermédiaire plus ancien, une philosophie très antique qui n'a été que récemment érigée en loi pour tous les hommes par toute la terre » (I 2, 10 ; p. 8, 33-36 H.) [16]. « Il ne s'agit pas de se séparer des Grecs pour devenir nécessairement juif : il y a entre les deux une forme bien supérieure, qui laisse les deux autres dans les bas-fonds » (I 6, 62 fin ; p. 32, 32-37 H.). Énoch et Abraham vivaient d'une façon chrétienne et non pas juive, χριστιανικῶς ἀλλ'οὐχὶ ἰουδαικῶς (I 6, 5 et 6 ; p. 23, 33-34 et p. 24, 8 H.). Le christianisme rejoint, par-dessus le mosaïsme, la vie et les mœurs des hommes qui précédaient Moïse et se nommaient Hébreux. Dans l'*Histoire ecclésiastique* (I 4, 5-6), Eusèbe les dit « chrétiens sans le nom ». Au 1. VII de la *Préparation évangélique* (8, 20-21), il insiste sur la justesse du nom d'Hébreux [17].

---

15. *Eusebius of Caesarea,* p. 129 et n. 1-3 ; cf. tout le chapitre VI, « Eusebius and the Arian Controversy » (pp. 121-138), mais aussi le chapitre V : « Conception eusébienne de l'œuvre du Christ » (pp. 100-120 ; pp. 101-102 sur *D.E.* IV 2). La section correspondante de J. Sirinelli, *Les vues...* (app. II, « Eusèbe et l'arianisme », pp. 516-536) a été supprimée en « dernière heure ». Sur l'arianisme de V 4, cf. C. CURTI, ap. *Augustinianum,* 13, 1973, p. 486, n. 10 : voir p. 108 et n. 35. G. L. PRESTIGE cite et traduit le passage, ainsi que V 8, 2 (*Dieu dans la pensée patristique,* Paris, 1955, pp. 131-132 ; les pp. 131-134 traitant du second Dieu chez Eusèbe).

16. Cité par D. S. WALLACE-HADRILL, p. 169 et n. 1 ; cf. sur cette question les pp. 169-171.

17. Cf. J. SIRINELLI, *Les vues...,* p. 143 ; voir aussi l'introduction de G. Schroeder au livre VII de la *PE* (1975, S.C. 215), surtout p. 7 et n. 1, p. 82 sv., et les notes du chapitre 8.

C'est le « Reste » seul sauvé (II 3, 151 ; p. 87, 26, dans l'exégèse de Michée 5) qui constitue pour Eusèbe le lien entre les patriarches antérieurs à Moïse et les chrétiens ; cette conception du « Reste » fait honneur à son originalité [18].

Pour les nations, les « Gentils », il n'est qu'un espoir, le Christ. Il est le Messie, l'« attente des nations », προσδοκία ἐθνῶν (Gn 49, 10, cité *DE* II 2, 7 : p. 58, 8 H. ; II 3, 40 : p. 68, 9-10 H.), « celui en qui elles espéreront » (Is. 11, 10 ; 42, 4 ; 51, 5 ; cité II 3, 24 : p. 55, 8 H., et II 3, 40 : p. 68, 8 H.). Un élan les pousse vers ce sommet de l'histoire qu'est la première « parousie », l'« épiphanie » de « notre Sauveur Jésus Christ ». Ces termes, παρουσία (II 3, 161 et 163 ; p. 89, 7 et 22 H.), ἐπιφάνεια (II 3, 72 : p. 73, 31 H. ; II 3, 88 : p. 77, 11 H.) reviennent constamment dans la *Démonstration,* dont tout le livre II, surtout au chapitre III, est un florilège de textes prophétiques. L'index de Heikel indique seulement les deux premiers cas de chacun : pour *parousia,* I 1, 6 et 8 (p. 4, 12 et 33 H.) ; pour *épiphaneia,* I 1, 51 et 53 (p. 31, 4 et 12 H.). Ajoutons au moins, pour *épiphaneia :* V prooem. 8 (p. 203, 32 H.) ; VI 3, 3 (p. 255, 4 H.) ; VI 20, 20 (p. 288, 29 H.) ; VII 1, 74 et 90 (p. 311, 4 et p. 314, 29 H.) ; VIII 2, 37 (p. 373, 14 H.) ; VII 3, 6 (p. 392, 21 H.) ; pour *parousia :* V 26, 2 (246, 16 H.) ; VI 3, 3 (p. 255, 1 H.) ; VI 13, 26 (p. 267, 18 H.) ; VI 18, 6 (p. 275, 4 H.) ; VI 21, 2 (p. 290, 2 H.) ; VII 1, 89 (p. 314, 11 H.) ; VII 1, 102 (p. 317, 29 H.) ; VII 1, 147 (p. 326, 12 H.) ; VII 2, 21 (p. 332, 6 H.) ; VIII prooem. 2 (p. 349, 10 H.) ; VIII 2, 37 (p. 373, 11 H.) ; VIII 2, 47 (p. 375, 3 H.) ; VIII 2, 59 (p. 378, 8 H.).

Signalons encore un cas d'ἄφιξις « arrivée », (IX 9, 4 ; 426, 1 H.), sens que le voisinage d'εἰς ἀνθρώπους donnerait aussi à οἰκονομία dans le *Commentaire sur Isaïe* (85, 29 Zie.). Pour désigner toute l'histoire du salut, Eusèbe emploie encore μυστικὴ οἰκονομία (*DE* II 3, 178 : p. 92, 4 H. ; IV, table des chapitres, titre de α′ : p. 148, 4 H.).

Dans toute son œuvre, combien de développements ternes ou redondants s'animent, s'éclairent quand il oppose aux erreurs passées le salut qui nous est venu par le Christ ! L'Évangile a

18. Cf. D. S. Wallace-Hadrill, p. 171.

délivré les hommes d'un aveuglement séculaire (*PE* III 5, 5 ;
p. 174 des Places) pour les conduire à la connaissance de Dieu
dans ses quatre composantes : « connaissance de Dieu comme
un, par opposition au polythéisme païen ; connaissance de Dieu
comme créateur ; connaissance du vrai sacrifice par opposition
aux sacrifices d'animaux chez les juifs et les païens ; connaissance
de la vraie moralité [19]. » Et le nom de chrétien a rempli toute la
terre (*DE* VI 18, 53, à la fin d'un beau commentaire du
chapitre 14 de Zacharie).

---

19. Id., *ibid.*, pp. 104-105 ; les pp. 105-108 développent ces quatre points.

IV

LES ECLOGAE PROPHETICAE

Éditées en 1842 par Th. Gaisford[1] d'après un manuscrit de Vienne (Vindob. theol. gr. 29 [55]), les *Extraits prophétiques* sont une œuvre de jeunesse en quatre livres, où Eusèbe cite largement, avec de brèves observations, les livres historiques de l'A.T. (l. I), les Psaumes (l. II), les livres sapientiaux et les prophètes sauf Isaïe (l. III), Isaïe (l. IV)[2]; toujours à dessein de montrer dans la venue du Christ l'accomplissement des prophéties. Au début de l'ouvrage, il se compare à l'abeille des *Proverbes* (6, 8 LXX) : de ce «florilège (ἀπάνθισμα, p. 2, l. 18 G.) tiré des prés spirituels de Dieu», il élaborera un miel de sagesse. Dès lors apparaissent quelques-uns des thèmes que nous avons vus développés par la *Démonstration*. Sur l'apparition de Dieu à Abraham, Eusèbe note qu'il ne s'agit ni d'anges ni du Père de l'univers, mais d'un autre Seigneur, le Logos (I 3). Plusieurs chapitres (I 6, I 8, IV 4) se terminent par une invitation au lecteur «curieux», φιλομαθής, pour qu'il éclaire la lettre (λέξις) par la recherche du «sens» (νοῦς, p. 179, l. 1) et l'interprétation allégorique (νόμοις ἀλληγορίας, p. 18, l. 1 ; τῆς δὲ ἀλληγορίας ὑπονοίας, p. 27, l. 29). Une pédagogie divine usait de types d'images, de symboles pour présenter énigmatiquement le sacré, ὥσπερ διὰ παιδαγωγῶν... τοπικῶς... εἰκονικῶς τὰ θεῖα διὰ συμβόλων ἠνίχθαι (I 9 ; p. 29, l. 23-25).

---

1. *Eusebii Pamphili episcopi Caesariensis eclogae propheticae...* nunc primum edidit Th. Gaisford, Oxford, 1842 (XI-243 p.).
2. Cf. J.-R. LAURIN, *Orientations maîtresses des apologistes chrétiens de 270 à 361*, Rome, 1954, pp. 124-127 ; J. Sirinelli, *Les vues...*, pp. 21-22 et 261-275.

Même opposition entre la figure et le matériel : τοπικῶς, l'Égypte désigne la vie présente, où le Christ entre par l'Incarnation ; σωματικῶς, le Christ arrive en Égypte (IV 10 ; p. 189, l. 7-8). Ailleurs Eusèbe écrit (IV 1 ; p. 170, 22-24) : « Si l'on veut prendre cela à la lettre (κατὰ τὴν λέξιν), le sens est clair (ὑγιὴς ὁ νοῦς) ; mais le sens spirituel (εἴτε κατὰ διάνοιαν) est beaucoup plus aisé »[3].

La vie traditionnelle est qualifiée, à la manière biblique, de πατροπαράδοτος (IV 27 ; p. 218, 26) ; l'erreur polythéiste, πολύθεος πλάνη, qui apparaît une fois (I 12 ; p. 45, l. 11), se présente beaucoup plus souvent dans les œuvres postérieures[4].

---

3. J. Sirinelli, *ibid.*, p. 474. Sur l'importance particulière du sens spirituel dans les *Eclogae*, cf. D. S. Wallace-Hadrill, *Eusebius...*, p. 81.
4. Ci-dessus, p. 128, pour la *Démonstration*.

LA THÉOPHANIE

« La *Théophanie* ou « manifestation divine » est la dernière en date des œuvres apologétiques d'Eusèbe »[1]. A la fin d'une discussion serrée, J.-R. Laurin en place la « rédaction sûrement après 323 et probablement seulement vers 333 », la « publication seulement après le 22 mai 337 »[2]. Pour la composition, la date de 333 était aussi retenue par H. Gressmann[3].

Les fragments grecs

Le premier fragment (I 23 dans la version syriaque; Gressmann, p. 3 ; *P.G.* 24, 609 a-b) est une sorte d'hymne au Verbe extraite par Mai de deux manuscrits, Ambr. E 63 inf. et Paris. gr. 228, et qui reparaît identique dans la *Laus Constantini* (230, 5-25 Heikel). La l. 20 de la p. 3, tirée du syriaque (p. 46, l. 20 de la traduction allemande) et de la *Laus* (« Commun Sauveur de toutes choses, il les irrigue toutes »), remplace chez Gressmann deux lignes de Mai dont toutes les formules, dit Gressmann, sont eusébiennes, mais qui sont reconstitution pure.

Le troisième fragment (III 41-62 dans le syriaque = Gressmann, pp. 4-15) reprend mot à mot des phrases entières de la *Démonstration;* ailleurs c'est le texte de la *Théophanie* qui a passé dans la *Laus;* il comporte cependant des passages

---

1. J. QUASTEN, *Patrology,* III, p. 332. Analyses de la *Théophanie* ap. D. S. Wallace-Hadrill, *Eusebius...,* pp. 52-55 et (dans la conclusion) pp. 191-196.
2. J.-R. LAURIN, *Orientations...,* p. 101, n. 41 ; cf. p. 103.
3. *GCS, Eusebius Werke,* III. 2, *Die Theophanie,* Leipzig, 1904, p. xx.

originaux. La p. 7 Gressmann, où Eusèbe montre que la mort du Christ et son triomphe devaient apparaître aux yeux de tous, s'achève sur la destruction de l'« erreur polythéiste », πολύθεος πλάνη (l. 23 ; cf. 11, 20 ; 16, 17 ; 21, 24 ; 23, 29) et, dans un fragment de Mai qui manque chez Gressmann, *PG* 24, 656 d 2 b).

Les fragments du livre IV, pour lesquels il existe moins de parallèles, insistent sur les miracles du Christ, où Eusèbe voit l'accomplissement des prophéties. A la suite du Ier évangile, les fr. 11-12 appliquent au Sauveur la parabole de la vigne ; c'est pour Eusèbe l'occasion de dénoncer la *tolma* dont les princes du peuple se sont rendus coupables à l'égard du Sauveur : τὰ μέλλοντα αὐτοῖς κατ' αὐτοῦ τολμᾶσθαι καὶ τὸν ἐπὶ τῇ τόλμῃ καταληψόμενον αὐτούς ὄλεθρον (p. 24, 21-23) ; τὸ τολμηθὲν ἄγος κατὰ τοῦ Σωτῆρος (26, 25) ; διὰ τὰ τολμηθησόμενα (28, 19). Ici revient un des thèmes favoris de la *D.E.*

LE *CONTRA MARCELLUM* ET LE *DE ECCLESIASTICA THEOLOGIA*

Dans les querelles de l'arianisme, la situation de Marcel d'Ancyre rappelle un peu celle de saint Athanase d'Alexandrie : l'un et l'autre furent, pour leur orthodoxie nicéenne, souvent condamnés ou exilés ; mais la théologie d'Athanase était plus sûre, et il fut souvent réhabilité.

Eusèbe assistait au concile de Constantinople qui déposa Marcel, et, « peu de temps après, probablement en 336, il composa contre lui un traité en deux livres pour justifier la sentence du concile ; un peu aussi, pour venger Astérius et Eusèbe de Nicomédie... ou pour se défendre lui-même ; car il avait reçu quelques horions »[1].

Le *Contra Marcellum* ayant paru « trop bref et trop purement critique », il « compléta son œuvre par trois livres nouveaux, intitulés *Sur la théologie ecclésiastique,* titre qui indique son intention d'ajouter un enseignement positif à la polémique »[2].

L'intérêt principal des deux traités est de conserver assez largement celui de Marcel d'Ancyre contre le sophiste arien Astérius. Les fragments terminent le t. IV des *Eusebius Werke* dans les *Griechische christliche Schriftsteller,* où E. Klostermann les a joints, en 1906, aux deux traités d'Eusèbe (pp. 183-215)[3].

Sans insister sur l'« arianisme » dont Eusèbe témoigne ici une fois de plus et sur le semi-sabellianisme de son adversaire[4],

---

1. A. Puech, *Histoire de la littérature grecque chrétienne,* III, 1930, p. 203.
2. Id., *ibid.,* p. 205.
3. Nouvelle édition en 1974.
4. Bien résumé par J. Quasten, *Patrology,* III, 1960, p. 199.

retenons des deux œuvres quelques traits plusieurs fois signalés précédemment.

1. L'expression πολύθεος πλάνη, où nous avons vu comme un *motto* d'Eusèbe, — mais qui manque à l'index de Kostermann, — vient deux fois dans le *Contra Marcellum* :

I 1, 11 (p. 3, 17-18 K. ; *PG* 24, 716 b 14-15) ;

I 1, 14 (p. 4, 4 K. ; 717 b 1), où ἑλληνικός est associé à πολύθεος sept fois dans la *Th. eccl.* ;

I 2 (p. 63, 15 K., 832 a 8), où πολύθεος est précisé par Ἑλλήνων ;

I 8, 1 (p. 66, 7 K. ; 837 a 11), où il l'est par ἑλληνικός ; et, sans additions : I 12, 10 (p. 72, 26 K. ; 849 b 2) ;

I 20, 89 (p. 96, 20-21 ; 893 a 10) ;

II 20, 3 (p. 127, 24 ; 949 d 1) ;

II 20, 13 (p. 129, 17-18 ; 953 b 6) ;

II 22, 3 (p. 132, 26 ; 960 b 2).

Un cas d'εἰδωλόλατρος πλάνη : II 22, 3 (p. 132, 29 ; 960 b 7).

2. Lettre et sens. Deux passages du *Contra Marcellum* opposent, l'un λέξις à νοῦς (I 3, 15 ; 17, 4-5 K. ; 749 a 12), l'autre (I 3, 16 ; 17, 10-11 K. ; 749 b 6-7) ἱστορία (et λέξις) à μεταφορὰ καὶ ἀναστροφή τῆς λέξεως. La *Th. eccl.* oppose une fois (II 10, 2 ; 110, 31-32 K. ; 920 c 11-12) λέξις et διάνοια ; ailleurs (III 2, 13 ; 141, 23-24 K. ; 976 b-c) elle distingue dans l'Écriture : a) ce qui est dit par métaphore ; b) ce qui admet plusieurs sens (πολύσημον ἔχοντα τὴν διάνοιαν) ; c) ce qui désigne par homonymie (ὁμωνύμως) des choses différentes ; « s'y arrêter serait trop long et hors de propos ».

3. Mouvements oratoires. A. Puech reconnaissait « une certaine éloquence » à la fin du *Contra Marcellum* [5]. J'admire davantage encore la conclusion de la *Théologie ecclésiastique*, où Eusèbe rapproche avec virtuosité les textes de S. Paul (Ire et IIe ép. aux *Corinthiens, Philippiens*) sur la glorification finale et d'abord, — contre Marcel, — celle de la chair du Christ.

---

5. A. Puech, *op. cit.,* p. 204.

LE *CONTRE HIÉROCLÈS*

Le *Contre Hiéroclès* nous a été conservé par le plus ancien manuscrit d'Eusèbe, le Parisinus graecus 451 (daté de 914), qui contient les cinq premiers livres de la *Préparation évangélique*. Cet écrit apologétique réfute un pamphlet dont le titre rappelait celui de Celse, «Discours véridique», ᾿Αληθὴς λόγος : le «Discours ami de la vérité», φιλαλήθης λόγος, publié en 303 par Hiéroclès, *praeses* de la province de Bithynie, comparait Apollonius de Tyane à Jésus Christ[1]. Eusèbe s'adresse à Hiéroclès, mais il suit, livre par livre, le plan de la Vie d'Apollonius composée au IIᵉ siècle par le second Philostrate[2].

Le style précieux de l'apologie d'Eusèbe la met à part dans son œuvre ; elle cherche, non sans lourdeur, à retrouver le ton des satiristes Lucien ou Oenomaüs. Autre différence : l'absence totale de citations scripturaires. Rien non plus n'y concerne l'«erreur polythéiste» ou la distinction entre «lettre» et «sens», essentielles ailleurs.

Le trait le plus frappant est «l'extrême discrétion d'Eusèbe en ce qui concerne la vie et la prédication du Christ... Le Christ est... cité surtout par prétérition dans un traité qui paraissait essentiellement consacré à son activité terrestre»[3].

---

1. Cf. A. Puech, *Histoire de la littérature grecque chrétienne*, III, 1930, pp. 188-189 ; P. de Labriolle, *La réaction païenne*, Paris, 1934, pp. 306-314.
2. Cf. J.-R. Laurin, *Orientations maîtresses des apologistes...*, Rome, 1954, pp. 142-143 : en regard du *Contre Hiéroclès*, les chapitres de la *Vie d'Apollonius* dont Eusèbe se sert. Toute la section sur le *Contre Hiéroclès* est à lire (pp. 130-145 ; cf. pp. 73-80).
3. J. Sirinelli, *Les vues...*, p. 257.

TROIS ŒUVRES HISTORIQUES

Dans l'*Histoire ecclésiastique,* comme plus tard dans la *Vie* et l'*Éloge de Constantin,* Eusèbe commentateur n'a guère à intervenir. Contentons-nous de signaler pour chacune des trois œuvres les cas de *polythéos planè* et de *tétolmèména.*

1. *L'Histoire ecclésiastique*

1. A défaut de *polythéos planè,* trois équivalents :
III 32, 8, l'«erreur athée» (ἀθέου πλάνης) :
IX 7, 11, l'«erreur aveugle» (τυφλῆς... πλάνης) reprochée aux chrétiens par le rescrit de Maximin relevé sur la stèle de Tyr (312) ;
X 4, 16, l'«antique erreur ancestrale» (παλαιᾶς ἀπάτης πατροπαραδότου).
2. III 5, 2 début, Eusèbe rapproche la mort d'Étienne et des deux Jacques de l'attentat commis sur le Sauveur, τῷ... κατ' αὐτοῦ τολμήματι (p. 197, 2 Schwartz).

2. La *Vie de Constantin*

1. Trois cas de *polythéos planè* :
II (table des chapitres), μη´ (p. 38, 14 Heikel = 7, 18 Winkelmann) ;
IV 29, 3 (p. 128, 29 Heikel = 131, 11 Winkelmann) ;
IV 75 (p. 148, 15 Heikel = 151, 3 Winkelmann) ;
et plusieurs équivalents :
II 45, 1 : *polythéos mania* (p. 60, 13 H. = 67, 1 W.) ;

III 56, 1 : *athéos planè* (p. 103, 26 H. = 110, 5 W.) ;
IV 37 *eidôlikè planè* (p. 132, 13 H. = 134, 27 W.) ;
II 47, 1 : *eidôlolatros planè* (p. 61, 13 H. = 68, 9 W.) ;
III 54, 1 *deisidaimôn planè* (p. 101, 17-18 H. = 107, 26 W.) ;
III 65, 1 *deisidaimôn anoia* (p. 112, 15 H. = 118, 23 W.) ;
II 61, 1 *daimonikè planè* (p. 65, 27-28 H. = 72, 19-20 W.).
2. Cinq cas de *tétolmèména*, mais contre l'Église (I 57, 3 ; III 1, 1 ; III 2, 1 ; III 26, 5) ou les chrétiens (II, table des chapitres, νβ').

3. L'*Éloge de Constantin*

1. Trois cas de *polythéos planè* :
15, 8 (p. 247, 1.2 Heikel) ;
16, 3 (p. 249, 2) ;
16, 9 (p. 252, 27-28) ;
et plusieurs équivalents :
2, 5 (p. 199, 28) : *athéos planè;* cf. 7, 2 (p. 212, 23) : *athéon planon* et 3, 6 (p. 201, 27) : *athéon to poluthéon.*
7, 2 (p. 212, 22) : *poluthéos kakia;*
7, 5 (p. 213, 19) : *théomakhos planè;*
8, 3 (p. 216, 11) : *polukhronios planè* = *Vie,* III 54, 6 ; p. 102, 12 H.).
8, 9 (p. 217, 30) : *poluthéos mania;*
12, 9 (p. 232, 9-10) : *poluthéôn andrôn... planè;*
15, 11 (p. 247, 28 et 31) et 16, 3 (p. 249, 4) : *daimonikè planè.*
2. Quatre cas de *tétolmèména,* les trois premiers généraux, le quatrième « contre le Sauveur » : 17, 3 (p. 254, 25 et 27) ; 17, 5 (p. 255, 11) : 17, 8 (p. 256, 12).
Si la *polythéos planè* ou ses équivalents tiennent une place importante dans les trois ouvrages historiques, c'est que, pour Eusèbe, « *poly*théisme et *poly*archie étaient liés aussi nécessairement que *mono*théisme et *mon*archie »[1], les deux biens que l'empire devait surtout à Constantin.

---

1. G. F. CHESNUT, *The First Christian Histories,* p. 101.

LES CITATIONS DE L'ANCIEN TESTAMENT DANS LA *PE*

Les passages de l'A.T. le plus souvent cités sont : les deux premiers chapitres de la Genèse, le chapitre 21 de l'Exode, le chapitre 40 d'Isaïe, le chapitre 28 d'Ézéchiel (quatre citations en VII 16, 5-6 : oracle contre le roi de Tyr, appliqué à la chute de Lucifer), le chapitre 7 de la Sagesse. Il est naturel que les citations bibliques (et celles du Nouveau Testament plus encore que celles de l'Ancien) soient relativement rares dans la *Préparation,* où elles viennent surtout s'opposer à des textes profanes ou au contraire les appuyer. Nous avons vu, à propos d'Eusèbe commentateur de Platon (p. 31), comment certains chapitres, au l. XII avant tout mais ailleurs aussi, en XIII 21 par exemple, confrontaient aux *Lois* les livres sapientiaux et le Pentateuque.

Une note précédente (p. 99, n. 18) a complété l'index de J. Ziegler pour l'erreur polythéiste ou « superstitieuse » dans le *Commentaire sur Isaïe ;* elle y est qualifiée également d'« athée », d'« idolâtre », de « démoniaque ». Cette dernière épithète est d'autant plus appropriée que la *planè* d'Eusèbe trouve sa personnification dans les démons, et c'est à leur propos qu'elle revient constamment[1].

---

1. Cf. G. F. CHESNUT, *The First Christian Histories,* p. 127 et n. 30.
Voici, dans la *PE,* les références de πολύθεος πλάνη :
I 4, 5, 11 (I 16, 4 Mras) ; I 6, 4, 2 (I 23, 17) ; I 8, 19, 5 (I 34, 10) ; I 9, 19, 1 (I 39, 3) ; II tab. cap. 12 (I 55, 9) ; cf. II tit. δ´ (I 78, 15) ; II 5, 3, 3 (I 89, 8) ; III 14, 1, 4 (I 151, 21-22) ; IV 1, 1 (I 161, 6) ; IV 15, 6 (I 189, 23) ; V 1, 7 (I 220, 13-14) ; V 2, 3 (I 223, 16) ; VII 15, 18, 2 (I 394, 19-20) ; VII 16, 8, 3 (I 397, 1) ; X 4, 10 (I 569, 14) ; X 4, 32 (I 573, 23) ; XV 1, 1 (II 343, 3) ; XV 22, 68 (II 400, 2) ; et trois cas au moins de πολύθεος δεισιδαιμονία : XIV 9, 5 (I 285, 12) ; XIV 16, 12 (I 302, 24-25 et 27).

CHAPITRE TROISIÈME

EUSÈBE
ET LE NOUVEAU TESTAMENT

EUSÈBE COMMENTATEUR DES ÉVANGILES

Des commentaires néotestamentaires d'Eusèbe, il ne nous est resté que des fragments, mais assez abondants pour les évangiles.

1. Les *Questiones evangelicae ad Stephanum* et *ad Marinum*.

A. Mai a édité pour les deux groupes de *Quaestiones* une *Epitomé* et des *Suppléments* : l'*Epitomé* d'après le Vatic. Palat. gr. 220, du Xᵉ siècle ; les *Supplementa* d'après la chaîne de Nicétas de Serres que contient le Vatic. gr. 1611 (A), du XIIᵉ. Le tout se retrouve dans la *PG* au t. 24 : 880 a-936 c et 957 b-976 a pour les *Quaest. ad Steph.* et leurs suppléments ; 937 a-957 a et 984 a-1016 a pour les *Quaest. ad Marin.* et leurs suppléments. Les *Quaest. ad Steph.* ne traitent que de l'enfance du Sauveur ; les *Quaest. ad Marin.*, que de la Résurrection ; il manque tout l'entre-deux[1]. L'*Ad Marinum* reparaît dans l'*In Lucam* d'Ambroise de Milan, au l. X, paragraphes 147-184 ; l'*Ad Stephanum* est à la base des trois premiers livres du même traité[2].

---

1. Cf. G. Bardy, in *Revue biblique*, 41, 1932, p. 229. On trouvera là (pp. 228-236) une analyse des deux séries de *Questions et réponses ;* ce titre, qu'Eusèbe avait donné à son ouvrage sur les évangiles (p. 228 et n. 5), devint classique dans la littérature patristique pour caractériser un genre littéraire ; mais il remontait au moins à Aristote et à ses commentateurs (id., *ibid.*, p. 211). Cf. encore J.-R. Laurin, *Orientations maîtresses...*, 1954, pp. 381-385 ; D.S. Wallace-Hadrill, *Eusebius...*, 1960, pp. 74-77.

2. Cf. C. Schenkl, ap. *CSEL*, 32, 1892, p. v ; G. Bardy, *op. cit.*, p. 232 et n. 1 ; G. Tissot, ap. « Sources chrétiennes », 45, 1956, p. 17. Au l. III de l'*In Lucam*, « le thème fondamental... est la généalogie du Christ et tout spécialement le problème que pose l'évocation des femmes pécheresses et étrangères dans cette généalogie » (P. Hadot, ap. Ambroise de Milan, *Apologie de David*, « Sources

L'*Ad Steph.* résout une difficulté par la typologie, alors qu'en général les *Quaestiones* se bornent à une exégèse littérale[3]. Il s'agit des deux vies, selon Abraham et selon Moïse, que symbolisent les jumeaux de Tamar (*Gn* 38, 27-30 ; 908 d-909 a) : la vie manifestée la première, puis retirée, était bien supérieure (909 b-c) ; et pourtant le Christ est issu de Pharès, pour « naître selon la loi et racheter ceux qui étaient sous la loi » (*Gal.* 4, 5 ; 912 b). Peut-être faut-il voir une autre explication typologique dans les *Suppléments* à l'*Ad Stephanum*, 969 b-c : les promesses faites à David ne concernent pas Salomon, « l'ami des femmes » (τῷ φιλογυναίῳ b 8), mais le Christ, qui a construit pour Dieu, par toute la terre, « une maison faite de pierres vives et intelligentes, une Église digne de Dieu » (c 1-3).

En *Mt* 1, 19, Eusèbe lit avec B et Sᶜ δειγματίσαι, alors que la famille θ donne παραδειγματίσαι, et explique sa préférence pour le verbe simple (884 d) : (l'évangéliste) ne dit pas « ne voulant pas la diffamer », mais « ne voulant pas la livrer en pâture à la curiosité du public » ; en effet, δειγματίσαι « ne signifie pas autre chose que 'divulguer, jeter dans le public ce qui était resté secret' ; il ne faut donc pas lui faire dire que Joseph ne voulait pas diffamer sa fiancée, l'exposer au déshonneur »[4]. Mais, par une contradiction qui n'est pas chez lui sans exemple, dans la *Démonstration évangélique* (VII 1, 54 ; p. 308, 11 H.) Eusèbe lit παραδειγματίσαι ; c'est, dans la longue citation de *Mt* 1, 18-23, un des rares cas où il s'écarte des grands onciaux[5].

L'*Ad Marinum* étudie, avec un véritable sens critique, les apparitions du Ressuscité. Eusèbe cherche à concilier les désaccords des évangélistes. En 940 a-b, il suggère de ponctuer après l'ἀναστὰς δέ de *Mc* 16, 9 — qui d'après lui se rapporte à l'ὄψε σαββάτων de *Mt* 28, 1 — pour placer au matin une seule apparition. Cette explication a séduit saint Jérôme (*Lettre* 120 à

chrétiennes » 239, 1977, p. 29, n. 58 ; cf. p. 33, n. 67 ; p. 87, n. 18 ; et, pour le thème de l'orgueil, p. 28, n. 52 ; p. 83, n. 14 (renvoyant à Eus., Quaest. ad Steph., VIII, 2-3, *PG*, 22, c. 913).

3. Cf. D.S. WALLACE-HADRILL, *Eusebius...*, p. 77.

4. J. MC HUGH, *La Mère de Jésus dans le N.T.* (Lectio divina, 90), Paris, 1977, p. 212, ajoutant (n. 11) : « Pour signifier cela, il faudrait employer le verbe *paradeigmatizô* », et citant (p. 213, n. 12) le passage d'Eusèbe.

5. Cf. D.S. WALLACE-HADRILL, ap. *Journal of Theol. Studies*, N.S., 1, 1950, p. 169, dans l'étude que nous retrouverons ci-après (p. 153, n. 5).

Hédybia, 3 ; p. 131 Labourt, VI, 1958) ; le reste de la lettre suit également Eusèbe : sur le « soir » du sabbat et le nombre des Maries et des Madeleines (paragraphe 4), sur la lenteur de Marie-Madeleine à reconnaître Jésus (paragraphe 5 ; cf. sur le *Noli me tangere* la lettre 59, ad Marcellam, paragraphe 4). L'ingéniosité de la ponctuation a frappé des modernes comme G. Bardy et D.S. Wallace-Hadrill [6].

En 992 d (*Suppl.*), Luc et Marc ne font que compléter le récit des apôtres Matthieu et Jean, « laissant à meilleurs qu'eux de décrire et rapporter le meilleur : le Saint-Esprit distribuait ainsi les rôles » ; cf. 1001 b et *Hist. eccl.* III 24, 13 : « La divinité du Sauveur avait été réservée à Jean, comme au meilleur ».

2. Le *Commentaire sur Luc*

Ce commentaire nous est parvenu sous la forme des scolies éditées par A. Mai (*PG* 24, 529-605) d'après quatre manuscrits du Vatican : A (Vatic. gr. 1611) ; B (Vatic. Palat. gr. 20) ; E (Vatic. gr. 1610) ; L (Vatic. Ottobonianus gr. 100). Ici ou là, Eusèbe paraît commenter Matthieu plutôt que Luc [7]. Ailleurs, cependant, il « renvoie à Matthieu comme s'il commentait réellement Luc » [8]. En tout cas, les chaînes utilisées se rapportent toutes à Luc, et c'est bien le troisième évangile qui semble commenté [9].

D'abord, deux indications remarquables.

Sur *Lc* 1, 38 (532 d, dernière ligne) : « Je suis la servante du Seigneur, je suis une tablette pour écrire (ou « un tableau à peindre »), que l'écrivain écrive ce qu'il veut ; qu'il fasse ce qu'il veut, le Seigneur de l'univers ». Tout le fragment vient d'Origène [10].

---

6. Cf. G. BARDY, *op. cit.*, p. 235 ; D.S. WALLACE-HADRILL, *ibid.*, p. 76 et n. 3.
7. Cf. A. MAI, ap. *PG*, 24, c. 533, n. 45 ; 536, n. 46 et 48 ; D.S. WALLACE-HADRILL, ap. *Harv. Theol. Rev.*, 67, 1974, pp. 55-57, et déjà *Eusebius...*, p. 51. Voir ci-après la traduction du passage (540 b-541 b).
8. A. MAI, *ibid.*, c. 540, n. 52 (en réalité 51 ; 51 devrait être 52).
9. A. MAI, *ibid.*, c. 557, n. 59.
10. Fr. 28 Rauer² (1959, p. 238) = F. FOURNIER-P. PÉRICHON (ap. « Sources chrétiennes » 87, 1962, p. 476). La traduction est celle des « Sources chrétiennes », avec l'alternative du « tableau à peindre » ; les traducteurs ajoutent (n. 1) : « L'image deviendra classique pour exprimer la passivité du mystique dans l'attente de la grâce », et retrouvent le fragment non seulement chez Eusèbe, mais chez Athanase, *PG*, 27, 1391 c.

Sur *Lc* 22, 40 (564 a). L'ange gardien de chaque âme la recevra au moment de la mort[11].

Nous avons noté, avec Mai, la contamination de Luc et de Matthieu dans le *Commentaire sur Luc*[12] ; il s'agissait de 540 b-541 b. La citation de *Lc* 7, 29-30, sur le baptême de Jean, amène la parabole des deux fils en *Mt* 21, 28-31, où Eusèbe suit l'ordre de S[2] W (alors que Merk suit B), et un commentaire où s'exprime, mieux que partout ailleurs, un des thèmes principaux d'Eusèbe[13]. Le fils d'abord rebelle mais qui agit finalement au gré de son père représente les nations appelées devant les Juifs en la personne des patriarches. Voici la traduction de cette page.

> Le propos actuel présente deux classes : (c) l'une est Israël ; l'autre, les nations étrangères, désignées par les publicains. Il les nommait toutes deux comme les enfants d'un seul père, puisque c'est d'un seul Dieu que tous viennent, Hellènes comme Juifs. Et il appelle « premiers » ceux des nations, « seconds » ceux de la circoncision, parce qu'avant Israël il y avait les nations et que c'est d'abord aux nations, quand le nom même d'Israël n'existait pas chez les hommes, que s'adressaient les oracles de Dieu et ses théophanies. Car Énoch était un païen incirconcis, lui qui reçut en récompense, pour s'être attiré les complaisances divines, d'être enlevé d'entre les hommes ; Noé, qui fut un juste dans sa génération, mérita les oracles de Dieu, tout incirconcis qu'il était lui aussi, et Melchisédech, plus ancien que le peuple de la circoncision, fut appelé prêtre du Dieu très haut ; Abraham encore, ainsi qu' (d) Isaac et Jacob, méritèrent avant Israël les oracles divins : nul doute non plus que Job, l'Iduméen issu d'Ésaü, n'ait brillé par des chefs-d'œuvre de piété. Mais le reste de la classe des nations, auquel les lois naturelles enjoignaient de travailler à la vigne, c'est-à-dire de mener une conduite religieuse, refusa et résista à l'ordre paternel (541a) pour s'adonner sans trêve à l'idolâtrie ; sauf qu'à la fin ils manifestèrent leur obéissance. La race juive, elle, qui était la seconde et fut, après le refus de la première, appelée à la même œuvre par Moïse et les prophètes, se montra zélée en paroles ; ils

---

11. Cf. A. Mai, *PG*, 24, c. 564, n. 60.
12. Ci-dessus, n. 7.
13. Cf. J. Sirinelli, *Les vues...*, pp. 142-149.

dirent en effet : « Nous ferons tout avec obéissance » ; en pratique, ce fut tout le contraire. Aussi le Sauveur demande-t-il aux grands-prêtres : « Lequel de ces deux a fait la volonté de son père ? » Et sur leur aveu que c'était le premier, il précise qui était ce premier : « Les publicains, les prostituées, toute la classe des nations infidèles vous précèdent dans l'amour de Dieu », Mais ce « vous », à qui s'adresse-t-il, sinon aux grands-prêtres, aux anciens, à toute leur race, qui en paroles (b) s'engageait à la piété mais en pratique reniait son engagement ? Aussi les Gentils revenus de leur perversion antérieure, qui auront montré des fruits dignes du royaume, l'obtiendront ; tandis que vous, qui vous prétendez enfants de Dieu, vous en serez exclus ; aussi bien, vous n'avez pas eu foi au Christ alors que les publicains et les prostituées ont cru en lui. C'est pourquoi également ils ont justifié Dieu ; car il est apparu juste en toutes ses œuvres, quand il vous repoussait comme désobéissants et ingrats pour élire les autres comme obéissants et bien disposés. Et vous ne pouvez plus lui objecter ce que dit le prophète : « Afin que tu sois justifié en tes paroles ».

Ce passage ne rentre dans aucune des trois catégories de fragments distinguées par D.S. Wallace-Hadrill : 1) origine divine et puissance du Christ ; 2) transcendance de son règne et consommation de ce règne à la fin des temps ; 3) loi morale du Christ [14]. D'après le même auteur, le *Commentaire sur Luc,* qui se rapproche parfois de la *Théophanie,* ressemble beaucoup plus aux *Eclogae propheticae ;* il pourrait constituer le l. X de l'*Introduction générale élémentaire,* dont les *Eclogae* formaient les livres VI-IX [15].

Signalons deux cas de l'expression *poluthéos planè,* en 553 b 9-10 et 569 b 6.

Notons aussi, à propos (580 d-581 a) des serviteurs endettés de *Mt* 18, 24 sv. — dont l'un, à qui il a été remis dix mille talents, prend à la gorge, pour cent deniers, son propre débiteur —, ces définitions de la miséricorde divine : « amour des hommes,

---

14. Cf. D.S. WALLACE-HADRILL, « Eusebius of Caesarea's Commentary on Luke : its Origin and Early History » (*Harv. Théol. Rev.,* 67, 1974, pp. 55-63), pp. 57-59.

15. ID., *ibid.,* pp. 59-60 et 62-63.

patience, pitié, condescendance» τὸ φιλάνθρωπον καὶ
ἀνεξίκακον ἐλεημονικόν τε καὶ συγχωρητικόν (581 b 10-12).
Immédiatement auparavant (572 b-580 d), le commentaire de la
parabole du festin se présentait sous trois formes qui se
recoupent, avec de nombreux doublets, et que Mai a tirées de
trois chaînes dans les manuscrits A (Vatic. gr. 1611), B (Vatic.
Palat. gr. 20), E (Vatic. gr. 1610)[16]. Le commentaire insiste sur
les différences qui séparent Matthieu et Luc.

En 596 a 4-6, à propos de *Lc* 20, 4, «le Christ prouve
indirectement sa doctrine en interrogeant les anciens sur celle de
Jean-Baptiste», τὸ δ᾽ἐπὶ Ἰωάννην ἀναπέμπειν λεληθυῖαν τὴν
περὶ ἑαυτοῦ διδασκαλίαν περιεῖχεν. En 596 c 7-10, «le Fils de
Dieu ruinera la tyrannie du fils de perdition par la manifestation
de sa venue, τῇ ἐπιφανείᾳ τῆς παρουσίας αὐτοῦ (2 Th 2, 8); les
mots ici associés sont souvent synonymes : la parousie est une
épiphanie[17].

---

16. Cf. A. Mai, *PG*, 24, pp. 528-529 et 607.
17. Cf. J. Daniélou, *Études d'exégèse judéo-chrétienne*, Paris, 1966, p. 20; et
v. ci-dessus, p. 101.

II

LES CITATIONS ÉPARSES
DU NOUVEAU TESTAMENT

1. Dans la *Préparation évangélique*

Dans la plupart de ses ouvrages, Eusèbe emprunte plus à
l'Ancien Testament qu'au Nouveau ; c'est particulièrement vrai
de la *Préparation,* où les citations du Nouveau Testament
remplissent à peine une page de l'index de Mras (t. II, p. 438),
alors que celles de l'Ancien en occupent trois ; dans la
Démonstration, la différence est moindre : neuf pages Heikel
pour l'Ancien, quatre pour le Nouveau ; dans le *Commentaire sur
Isaïe,* elle se réduit encore : neuf pages Ziegler pour l'Ancien
contre sept pour le Nouveau.

Les citations du N.T. dans la *Préparation* se répartissent assez
inégalement entre les divers livres. J'avais tort de croire la Bible
totalement absente du l. II [1] : l'emprunt de II 6, 20, 6 à
Colossiens 3, 16 (ὕμνοις τε καὶ ᾠδαῖς), non signalé par Mras, n'a
pas échappé au scribe de H, copie de A, qui ajoute à ᾠδαῖς le
πνευματικαῖς de l'Apôtre. Les livres I, III et VII comptent un
certain nombre de citations des évangiles et des épîtres. Le
l. XII, si riche en textes platoniciens, contient des comparaisons
intéressantes entre Platon et l'Écriture : la métaphore du berger,
qui sert dans la *République* à caractériser le véritable homme
d'État, rappelle à Eusèbe (XIII 44) le pasteur du IVᵉ évangile
(10, 11-12) comme les mauvais bergers d'Israël chez Isaïe ; le

---

1. Cf. *Préparation évangélique,* II-III (Sources chrétiennes, 228), 1976, p. 7.

l. XI de la *PE* (18, 13) rapproche le cultivateur de Numénius (fr. 13) et la parabole de la vigne chez saint Jean (15, 1 et 5).

Le chap. Ier de l'*épître aux Romains*, dont les vv. 21-27 condamnent si sévèrement les déviations païennes, fournit d'amples citations aux derniers chapitres du l. III de la *PE*. Dans le même sens, Eusèbe cite encore le milieu du chap. II de l'épître, à la suite de textes du *Gorgias* et des *Lois* sur la division intérieure de l'homme (XII 6, 24 ; 27, 6).

Parmi les citations des deux *épîtres aux Corinthiens,* plusieurs soulignent, en I 3, 5, le caractère apodictique du message chrétien qu'Eusèbe s'attache à établir. «C'est, en somme, pour montrer que le souci de la démonstration logique appartient à l'essence même du christianisme et au projet divin, qu'Eusèbe accumule les citations[2]. » Tout de suite après (I 3, 6), celle de la *Prima Petri,* 3, 15, où l'apôtre enjoint aux fidèles d'être «prêts à justifier leur espérance devant ceux qui leur en demandent compte», va dans le même sens : «Eusèbe saisit toute occasion, en gauchissant au besoin la pensée des auteurs, pour faire apparaître dans le christianisme une sorte d'inclination originelle vers la logique et la raison[3]. » En I 5, 2, la même citation de la *Prima Petri,* qui dès le début de l'argumentation (I 3, 6) tendait à prouver que le christianisme n'est pas une foi irraisonnée, revient pour conclure la démonstration[4].

La *PE* cite quatre fois *Éphésiens* 6, 12, avec les «dominateurs de ce monde de ténèbres» (κοσμοκράτορας) : V 2, 4 ; V 3, 1 ; VII 16, 9 ; XI 26, 7.

2. Dans la *Démonstration évangélique*

Matthieu 1, 23, cité en III 2, 51 avec καλέσουσιν (p. 104, 12 Heikel), l'est en VII 1, 30 et 55 avec le καλέσεις de D et d'Isaïe dans la LXX (p. 303, 27 et 308, 15 H.). Nous avons vu, à propos du *Commentaire sur Isaïe* (p. 114), comment Eusèbe préfère cette dernière leçon. Il cite largement les premiers chapitres

---

2. J. SIRINELLI, ap. *Prép. év.*, I (Sources chrétiennes, 206), 1974, p. 236.
3. ID., *ibid.*, pp. 236-237.
4. ID., *ibid.*, pp. 258-259.

(enfance, baptême, tentation, sermon sur la montagne), le chap. 10 (mission des apôtres), le récit de la Passion.

Pour défendre Eusèbe contre I.A. Heikel, qui l'accuse de citer avec négligence, D.S. Wallace-Hadrill a étudié vingt citations du Ier évangile dans la *Démonstration*[5]. Son premier exemple est précisément 1, 23 (= *Is.* 7, 14). En VII 1, 55, la longue citation des six versets 1, 18-23 suit « presque sans faute » le texte de Matthieu[6] ; la seule exception est le καλέσεις mentionné à l'instant. Dans le récit de la Passion, les citations de *Mt* 27, 35 et du ps. 21, 19 « ne permettent pas de douter qu'Eusèbe distinguait soigneusement entre leurs leçons respectives »[7].

3. Dans la *Théophanie*

A la différence de la *Préparation* et de la *Démonstration*, la *Théophanie* cite le Nouveau Testament beaucoup plus souvent que l'Ancien. Le traducteur syrien semble reproduire exactement le texte biblique[8] ; pour les fragments grecs, on ne peut se fier à des citations qui proviennent des chaînes[9]. Notons seulement que le fr. 12 Gressmann commente longuement la prédiction de la ruine de Jérusalem d'après Matthieu et Luc ; le fr. 16 observe que Matthieu est le seul évangéliste à mentionner son propre passé de publicain, τὸν πρότερον ἑαυτοῦ βίον (35, 1 Gr.), et qu'il se nomme par humilité après son « coapôtre » Thomas.

4. Dans le *Commentaire sur Isaïe*

Comme nous l'avons noté dès la première section de ce chapitre, à propos de la *Préparation évangélique*, la place du

---

5. Cf. D.S. WALLACE-HADRILL, « An Analysis of some quotations from the first Gospel in Eusebius' *Demonstratio evangelica* » (*Journal of Theological Studies*, N.S., 1, 1950, pp. 168-175) ; I.A. HEIKEL, *Eusebius Werke* (GCS), VI, 1913, p. XXII.

6. D.S. WALLACE-HADRILL, *ibid.*, p. 169.

7. ID., *ibid.*, p. 174.

8. Cf. C. PETERS, « Die Zitate aus dem Matthäus-Evangelium in der syrischen Übersetzung der Theophanie des Eusebius » (*Oriens christianus*, 3e série, 11, 1936, pp. 1-25).

9. Cf. H. GRESSMANN, *Eusebius Werke* (GCS), III, 2, 1904, p. XXVI.

Nouveau Testament dans le *Commentaire sur Isaïe* ne le cède pas tellement, d'après le *Stellenregister* de J. Ziegler, à celle de l'Ancien ; un coup d'œil sur les références suffit pour le constater. Et encore faut-il observer que sur les neuf pages de l'A.T., quatre contiennent les références à Isaïe, à l'exclusion des lemmes. P. 224, par exemple, une note de la l. 7 renvoie à *Is*. 32, 9 a, et ce verset figure à l'index avec la référence « 224, 7 » ; au contraire, dans la même page, les lemmes « 34, 9-10 » et « 34, 11-15 » manquent à l'index. Jérémie et Ézéchiel n'occupent chacun qu'une demi-colonne, alors que dans le N.T. Matthieu s'en voit attribuer 3 1/2 ; Jean, deux ; l'épître aux Romains, la Ire aux Corinthiens, l'épître aux Hébreux (la « Jérusalem céleste » de 12, 22 est citée une trentaine de fois), une chacune. Marc est peu exploité : dix lignes seulement.

CHAPITRE QUATRIÈME

LA MÉTHODE
D'EUSÈBE COMMENTATEUR

DIVERS TRAITEMENTS D'UN MÊME TEXTE

I. Isaïe, 19, 1-4

1. *Eclogae propheticae* IV 10 (pp. 188, 22 -189, 24 Gaisford 1842 ; *PG* 22, 1213 c-1216 a)

« Voici que le Seigneur (« Yahvé » Osty), monté sur une nuée rapide, arrive en Égypte. Les idoles de l'Égypte vacillent devant lui, et le cœur de l'Égypte s'affaisse au-dedans d'elle. » Interpréter le texte de la nature inengendrée du Dieu de l'univers, comme s'il devait être porté sur une nuée et venir séjourner dans l'Égypte physique, je ne le crois ni vraisemblable ni pieux ; aussi faut-il entendre la prophétie du Logos de Dieu, puisqu'elle s'est déjà réalisée lors de son premier avènement, qui l'a fait arriver sur une nuée légère — la chair formée pour lui par l'action de l'Esprit-Saint — à cette vie, appelée allégoriquement Égypte, et aussi corporellement dans l'Égypte même, où encore enfant il a été transporté par sa mère et Joseph ; c'est alors que pour des raisons ineffables furent secoués et ébranlés, bouleversés par sa venue, les démons qui en tout lieu habitaient les statues faites de main d'homme et agissaient auparavant ; ce que montre la prophétie quand elle dit : « Et les idoles de l'Égypte vacilleront ». C'est ce qui s'accomplira aussi lors de son second règne en gloire du haut des cieux, lors duquel on peut imaginer qu'elle vacillera ; alors aussi un trouble plus fort saisira lesdites idoles d'Égypte, dont le cœur, dit-on, s'affaissera, car le Logos divin en eux se soumettra et abattra alors tout orgueil qui s'élève maintenant contre la

connaissance de Dieu ; et toute la suite de la prophétie ne
s'expliquera que par la tropologie.

2. *Démonstration Évangélique*, VI 20, 2-13 et 22 (p. 285, 17-287,
27 et 289, 12-17 Heikel, 1913)

(Paragraphe 1 : texte d'*Is*. 19, 1-4).

2 Maintenant encore la prophétie actuelle signale que le
second après le Dieu et Seigneur de l'univers, le Logos
même de Dieu, « arrivera en Égypte » et y arrivera non
obscurément ou invisiblement, ni sans un revêtement
corporel, mais porté « sur une nuée rapide », ou plutôt « sur
une épaisseur légère » ; car c'est ce qu'implique, dit-on, la
langue hébraïque. 3 Qu'ils disent donc, les fils des
Hébreux, quand, après l'époque d'Isaïe, le Seigneur a
séjourné en Égypte, et quel Seigneur ; car s'il s'agit du Dieu
de l'univers, comment donc le dit-on porté sur une « nuée
rapide », posé localement sur une partie quelconque de la
terre ? 4 Et qu'ils expliquent ce que peut bien être cette
« épaisseur légère », et pourquoi ce n'est pas sans elle que
le Seigneur est dit séjourner en Égypte. 5 Quand encore
l'histoire montre-t-elle accomplies les prédictions de la
prophétie, à savoir que « seront secouées » les idoles, « les
néants d'Égypte » ; que les Égyptiens combattront les
Égyptiens à cause de la venue du Seigneur chez les
hommes ; que leurs dieux, c'est-à-dire les démons, si
puissants autrefois, n'auront plus de force, et cesseront de
répondre aux consultants par crainte du Seigneur ; « aux
mains » de quels « durs seigneurs », de quels rois l'Égypte
est-elle tombée après la venue du Seigneur ainsi prophétisée, et pourquoi, le Seigneur venu, sont-ils livrés à des
« maîtres durs » ? Le reste, à l'avenant, que qui voudra
l'interprète. 6 Pour nous, affirmons-nous, tout cela ne se
produit que par la seule venue de Notre Sauveur Jésus
Christ parmi les hommes ; c'est lui, Logos de Dieu et
puissance de Dieu, qui, en séjournant selon le sens et selon
la lettre sur la terre d'Égypte, par une « nuée légère »
accomplissait les prophéties. Nuée rapide, c'est ainsi qu'est
nommé allégoriquement son séjour dans le corps qu'il a
reçu de la Vierge et du Saint Esprit, comme le texte
hébraïque et Aquila l'ont indiqué plus clairement en

disant : « Voilà que le Seigneur marche sur une épaisseur légère, et il vient en Égypte », qualifiant d'épaisseur légère le corps reçu du Saint-Esprit. 7 Ainsi donc, cette partie de la prophétie s'accomplissait à la lettre quand l'ange du Seigneur apparut en songe à Joseph et lui dit : « Lève-toi, prends avec toi l'enfant et sa mère, et fuis en Égypte ; restes-y jusqu'à nouvel ordre. » 8 Alors donc le Seigneur en personne, Dieu Logos, entrant dans l'âge enfantin et avec la chair qui lui venait de la Sainte Vierge (qualifiée d'« épaisse » en raison de la résistance de la matière corporelle, de « légère » aussi comme supérieure à notre nature, et appelée « nuée rapide » parce qu'elle s'était formée des œuvres du Saint-Esprit, sans souillure voluptueuse), vient séjourner dans la terre d'Égypte.

9 La raison de sa venue en ce pays s'explique ainsi. Comme c'est là tout d'abord qu'avait commencé l'erreur idolâtrique, comme les Égyptiens semblaient être les plus superstitieux de tous les hommes et les ennemis acharnés du peuple de Dieu, les plus éloignés des prophètes, ils furent naturellement les premiers à éprouver la puissance de Dieu. Voilà pourquoi, chez eux plus que partout ailleurs, a pris force la parole de son enseignement évangélique ; aussi la prophétie en question prédit-elle que le Seigneur lui-même viendra chez eux, 10 au lieu que les Égyptiens aillent au pays de Judée et viennent à Jérusalem pour l'adorer, s'y fassent prosélytes des Juifs selon les prescriptions de Moïse dans le sanctuaire de Jérusalem ; de cela il n'est pas dit que rien se produise, mais seulement que le Seigneur en personne séjournera chez les Égyptiens, honorera ce peuple de sa présence, deviendra pour eux la cause de grands biens ; 11 que c'est son séjour qui amènera les faits mêmes qu'on a vu s'accomplir après la manifestation de Notre Sauveur Jésus Christ. Quels ils ont été, considérons-le.

Les démons vils et néfastes qui jusqu'alors habitaient l'Égypte, qui de longue date nichaient dans les statues et asservissaient l'âme égyptienne à toutes les erreurs de la superstition, prirent conscience qu'une puissance étrangère et divine résidait chez eux ; ils s'émurent aussitôt, éprouvant en eux agitation et tumulte ; leur cœur et leur esprit fléchissaient au-dedans d'eux-mêmes, se retirant vaincus devant la puissance qui les pourchassait invisiblement et, à l'instar d'un feu, les brûlait par une raison ineffable. 12 Mais alors, invisiblement, les démons subissaient ces tourments, lors de la venue en Égypte, dans la chair, de Notre Sauveur Jésus Christ ; et quand là-dessus, en pleine lumière, l'Évangile commença d'être prêché aux Égyptiens, comme d'ailleurs aux autres peuples, et que sa puissance invisible accompagnait les apôtres, agissant et travaillant mystérieusement avec eux, annonçant par eux sa sainte doctrine, qui invitait à n'adorer qu'un seul vrai Dieu, qui détournait des démons ceux que jadis ils égaraient, dès lors, en Égypte comme d'ailleurs chez les autres peuples, surgit une sédition, une lutte intestine, vu que les uns se retiraient de l'erreur polythéiste et couraient vers la parole du Christ, et que les autres luttaient en face contre les premiers, aiguillonnés par leurs démons familiers ; si bien que les frères se détachaient les uns des autres et que des parents marchaient en armes à cause de la doctrine du Christ... 22 Après quoi il leur est prophétisé, par manière d'énigmes, d'autres événements plus obscurs, qui demandent une interprétation tropologique plus longue et plus profonde ; ils recevront à loisir leur explication, au temps convenable, quand, Dieu aidant, nous rendrons compte des évangiles.

3. *Démonstration évangélique*, VIII 5, 1-6 (p. 399, 33-401, 31 Heikel).

(Paragraphe 1 = Is. 19, 1-3 ; paragraphe 2 = Is. 19, 19-21).

3 Ce texte, d'avance, nous l'avons partiellement élucidé. Si donc les Égyptiens ne se voient pas, à notre époque, abandonner les dieux de leurs pères et invoquer le dieu des prophètes ; si dans toute l'Égypte, en tout lieu, toute ville, toute région, il n'a pas surgi un sanctuaire en l'honneur du Dieu qu'adorent seuls les Hébreux ; si n'ont pas été secouées les idoles d'Égypte, lorsque la puissance démoniaque a cessé en elles et que la vieille superstition a été enlevée de l'âme égyptienne ; si, en outre, dans chaque ville et chaque maison une guerre intestine ne se déclare pas chez les Égyptiens, quand les uns révèrent le Seigneur et le culte du Dieu des prophètes en se détournant de l'antique erreur polythéiste, que les autres, encore attachés au mal ancestral, persécutent les adeptes du Seigneur ; si

maintenant encore et jusqu'ici, quand ils essaient d'interroger leur dieux, leurs statues, «les voix qui sortent de terre et les ventriloques», ils n'éprouvent pas la vanité et l'inutilité de ce recours, vu que les démons ne peuvent agir comme auparavant; si, à la lumière des faits, tout cela ne s'avère pas terminé, je renonce à juger que la prophétie s'est accomplie et que le Seigneur annoncé a partagé la vie des hommes.

Les paragraphes 4-5 reprennent la *reductio ad absurdum* du paragraphe 3 sous une forme positive; la fin du paragraphe 4 ramène l'«épaisseur légère» de l'hébreu, devenue dans les LXX la «nuée légère».
Le paragraphe 6 justifie la brièveté de l'exposé.

4 Mais si, d'après les faits mêmes, bien plus lumineux que les discours, on voit que jusqu'ici, parmi les habitants de l'Égypte, les uns ont reconnu le Dieu des prophètes et à cause de lui abandonné les dieux de leurs pères, tandis que les autres se sont soulevés contre ceux-là; si les uns, maintenant encore, invoquent leurs dieux, les statues, les voix qui sortent de la terre, malgré leur totale impuissance, alors que les autres, dans tout le pays d'Égypte, ont élevé au Seigneur des prophètes un sanctuaire pour chaque Église, et sous les pressions, sous les persécutions dirigées contre eux, n'invoquent plus comme des démons, à l'exemple de leurs pères, les brutes ou les reptiles de la terre, les bêtes sauvages, les animaux sans raison, mais le Dieu suprême, n'ayant de pensée que pour lui et pour sa crainte, le priant à la place des démons et lui rendant le tribut de promesses dignes d'un Dieu : comment ne pas reconnaître logiquement qu'avant même ces accomplissements les prophéties sont déjà devenues réalité ? Or elles parlaient de la venue du Seigneur en Égypte, qui ne devait pas se produire incorporellement mais grâce à une nuée rapide, ou plutôt une «épaisseur légère», car c'est ce qu'implique l'hébreu, insinuant par là sa venue dans la chair. 5 C'est donc lui que la suite de l'oracle appelle «homme sauveur», quand elle dit : «Et le Seigneur leur enverra un homme qui les sauvera.» A son tour, ici encore, l'hébreu a : «Et le Seigneur leur enverra un sauveur, qui les sauvera.» Puisque tout cela fournit une démonstration

évidente, je pense que clair aussi est apparu le temps auquel le prophète assigne la venue du Seigneur parmi les hommes.

6 Voilà, brièvement rassemblées, les données chronologiques sur la manifestation du Seigneur aux hommes ; on en trouvera davantage à loisir, en parcourant le reste des Écritures ; pour nous, ce qui a été dit nous suffira, et nous passerons maintenant aux autres prophéties. Aussi recueillerons-nous, parmi les prédictions divines, ce que Dieu a disposé parmi les hommes à la suite de la venue du Sauveur.

4. *Démonstration évangélique,* IX 2, 1-6 (pp. 407, 18-408, 29 Heikel).

(Même texte d'Is. 19, 1).

Voici pourquoi, me semble-t-il, la venue future du Sauveur en Égypte est prophétisée. On dit qu'entre tous les peuples les Égyptiens furent le premier à inaugurer l'erreur polythéiste et démoniaque et entraînèrent tous les autres hommes à la superstition ; et encore que tous ils s'intéressaient à l'activité et à la magie des démons. 2 Or c'est à leur sujet que l'Écriture inspirée témoigne que de tout temps, dès l'origine, ils furent les ennemis du peuple de Dieu ; et l'on rapporte que leur ancien roi prétendait ne pas connaître le Seigneur, quand il déclarait : «Je ne connais pas le Seigneur, et je ne renverrai pas Israël. » Lors donc que le logos veut présenter un grand prodige de la puissance divine du Christ, il prophétise sa venue en Égypte, et prédit qu'à cette occasion l'Égypte subira une transformation peu ordinaire : «Les Égyptiens, ajoute-t-il, connaîtront le Seigneur, eux qui auparavant l'ignoraient, et ils feront des vœux au Seigneur» ; et le reste à l'avenant. 3 Ci-dessus, au chapitre précédent, Édom et Ésaü étaient appelés l'héritage du Messie annoncé, et c'était les étrangers à Israël qui étaient ainsi désignés ; maintenant, c'est l'Égypte et le peuple d'Égypte qui, dans la prophétie, n'appartiennent plus aux idoles mais au Seigneur reconnu comme Dieu chez les prophètes juifs. 4 Or, si l'on ne voit pas de ses yeux réalisées ces prédictions, on ne peut dire qu'ait eu lieu la venue annoncée du Sauveur en Égypte ;

mais si, contre toute attente, la vérité témoigne en faveur des faits et montre clairement aux moins intelligents que les Égyptiens eux-mêmes ont abandonné la superstition ancestrale de leurs pères, pour s'attacher au Dieu des prophètes qui avaient fait ces prédictions, l'adorer lui seul, accepter toutes les morts pour son culte, il est temps de convenir que si cela est arrivé, c'est en vertu de la venue du Seigneur en Égypte conformément à la prophétie en question.

5 On peut aussi, d'une autre manière, entendre allégoriquement le monde terrestre, dans lequel l'oracle prophétise que le Seigneur viendra « sur une nuée rapide », par allusion à la nature humaine que le Verbe a prise de la Vierge et de l'Esprit Saint ; et quand il dit que furent secouées les idoles d'Égypte, les statues des nations et les démons qui y résident, c'est qu'en revanche les Égyptiens seront tous soumis, eux qui jadis auparavant s'enthousiasmaient pour l'idolâtrie. 6 Mais puisque notre Sauveur a été porté corporellement sur la terre d'Égypte, quand selon l'oracle Joseph se leva, prit Marie et l'enfant et vint en Égypte, il est vraisemblable que sous sa puissance et son action ineffables les puissances mauvaises qui habitaient là précédemment ne furent pas peu ébranlées, surtout quand ensuite, par son enseignement, des foules innombrables parmi les Égyptiens, soustraites à l'égarement démoniaque, confessent aujourd'hui encore qu'elles ne connaissent que le Dieu de l'univers. Ce qui vient après est plein d'énigmes et demande plus longue étude : nous l'interpréterons à loisir le moment venu.

5. *Commentaire sur Isaïe*, 19, 1-4 (pp. 124-127 Ziegler ; *PG* 24, 220 a-224 c).

(19, 1) Il convient de remarquer qu'il est dit : « Vision de l'Égypte. » Ce n'était pas comme pour Babylone : « Vision contre Babylone », ni comme pour la Judée et Jérusalem : « Vision qu'a eue Isaïe, fils d'Amos, qu'il a eue contre la Judée et contre Jérusalem » ; il n'en est pas de l'Égypte comme de Damas et de la Moabitide, car il n'est pas dit : « Vision contre l'Égypte », mais « vision d'Égypte », c'est-à-dire, comme si l'Égypte elle-même devait voir et contempler de ses yeux, clairement, l'objet de la prophétie ; ou comme si le prophète avait eu la vision qui annonçait d'avance les plus grands biens aux Égyptiens. Quoi de mieux, en effet, quoi de plus heureux devait-il leur échoir que ces dons du Sauveur : les juger dignes de sa venue, leur accorder de le connaître, faire tout ce qu'on rapporte des Égyptiens ?

(75) On ne peut dire que cela s'est accompli au sens historique, lorsque le Seigneur en personne, le Dieu Logos qui «est au commencement, tourné vers Dieu», ne séjournait pas sur la terre d'Égypte incorporellement et invisiblement, mais avec cette «nuée rapide» du corps qu'il a reçu, formé par le Saint-Esprit de la Sainte Vierge. En effet, n'était la précision qu'il arrivera «assis sur une nuée rapide», on pourrait dire que le Dieu Verbe, étant partout présent par une puissance incorporelle et divine puisqu'il «remplit tout» («il était dans le monde et le monde a été fait par lui»), à l'Égypte aussi accordait sa présence, du fait qu'il étendait à ce peuple sa surveillance et sa providence ; mais on ne dirait pas davantage que de cette façon il se trouve en Égypte plus que dans une autre partie du Tout[1]. En fait, quand l'oracle dit nettement qu'il arrivera en Égypte porté sur une nuée rapide, il montre que sa venue sera individuelle et corporelle. C'est ce qu'en réfléchissant sur ce texte on dira s'être réalisé quand est venu parmi les hommes le Dieu né de la Sainte Vierge, celui que la prophétie appelle «Emmanuel». De même en effet que la nuée tient toute sa substance de l'air et d'une exhalaison de la terre, de même le corps qu'il a reçu, formé par l'opération du Saint-Esprit et d'une essence terreuse, a été raisonnablement comparé à une «nuée rapide», sur laquelle le Christ «s'est assis» pour arriver en Égypte dans son bas âge. Car cela aussi profitait aux Égyptiens, qui, en vertu d'une action ineffable, étaient si grands bénéficiaires de la venue du Sauveur.

Selon un sens plus profond, l'avènement du Seigneur était éminemment nécessaire à l'Égypte, peuple superstitieux entre tous, qui non seulement attribuait la création à la fatalité et aux astres du ciel[2] mais encore s'était dégradé

---

1. La phrase ne se construit qu'en ponctuant d'une virgule, non d'un point, après l'ἐγένετο de la l. 22. A la l. 24, l'omission de ἤ avant ἐν chez Ziegler rend la phrase inintelligible.
2. Cf. U. RIEDINGER, *Die Heilige Schrift,* p. 160 et n. 2.

jusqu'à déifier des animaux sans raison, des bêtes sauvages, des oiseaux, des reptiles. Pour eux, le Tout était tellement sans maître, sans providence, que leur roi avait le front de dire : «Je ne connais pas ce Seigneur» et «Qui est-il pour que j'écoute sa voix»? Et «les idoles d'Égypte seront secouées devant lui, et le cœur des Égyptiens s'affaissera en eux»; or les idoles, ce seraient les images et les statues inanimées; il dit donc que les statues inanimées «seront secouées»; que «le cœur», c'est-à-dire les démons, «s'affaissera», ou, selon les autres interprètes, «fondra» sous une force obscure et invisible. Et tout cela s'accomplissait aux temps où les églises de Dieu paraient toute l'Égypte, à mesure que l'activité démoniaque s'éteignait lentement et peu à peu.

Cela aussi, les faits en témoignent, se réalisait au temps où les églises de Dieu s'étaient élevées sur toute l'Égypte, tandis que le Seigneur venait chez les Égyptiens, pour visiter ses églises, selon la parole : «Là où deux ou trois sont réunis en mon nom, là je suis au milieu d'eux.» C'est ainsi que les églises resplendissaient de sa grâce, alors que l'erreur des démons de ce pays disparaissait.

(Texte d'Is. 2-3 jusqu'à διασκεδάσω; ensuite :)

Au lieu de «et ils se soulèveront», Aquila dit : «Je soulèverai des Égyptiens parmi des Égyptiens», Symmaque : «J'engagerai Égyptiens contre Égyptiens», Théodotion : «J'agiterai des Égyptiens parmi des Égyptiens.» Et cela s'accomplissait selon le message évangélique communiqué à toute l'Égypte, moyennant quoi les statues inanimées étaient ébranlées dans leurs fondements depuis toujours immuables, si bien qu'on n'en construisait plus et qu'elles n'avaient plus d'assise ferme par suite de l'ébranlement qu'elles avaient subi, et que les mauvais démons nichés en elles étaient par suite convaincus de n'être que néant. De même en effet que la sédition intestine s'éveillait par toute l'Égypte, quand les habitants du pays se divisaient entre eux, se séparaient les uns des autres, se déchiraient à travers maisons et villes, du fait que les uns couraient vers le message évangélique en s'écartant de l'erreur démoniaque de l'Égypte, que les autres, fidèles à celle-ci, déclaraient aux premiers une guerre sans répit, de même donc les Égyptiens se soulevaient contre les

Égyptiens, chacun guerroyait contre son voisin ou son frère, et de plus la guerre civile dressait ville contre ville, nome contre nome. Maintenant encore les Égyptiens appellent nomes leurs régions, qui elles aussi se détachaient les unes des autres pour le même motif. La vie des athées rompait avec l'existence selon Dieu, et un nome se dressait contre un nome, quand la loi [3] évangélique renversait le légalisme égyptien, comme à son tour la loi de l'idolâtrie faisait la guerre au Logos sauveur [4]. Tout cela venait de ce que le séjour du Seigneur en Égypte brouillait l'entente de ce peuple et leur accord sur l'erreur polythéiste. Aussi est-il dit selon Aquila : «Je dresserai Égyptiens contre Égyptiens» ; selon Symmaque : «Je mettrai aux prises Égyptiens et Égyptiens» ; une doctrine parente et sœur de celle-là, ou plutôt identique, était celle de Notre Seigneur lui-même, quand il disait en d'autres termes dans les Évangiles : «Ne croyez pas que je sois venu apporter la paix sur terre ; je ne suis pas venu apporter la paix, mais le glaive» ; et la suite.

Devant ces événements, dit l'oracle, «l'esprit des Égyptiens sera bouleversé» ; selon Symmaque : «L'esprit de l'Égypte sera brisé en elle» ; selon Théodotion : «L'esprit de l'Égypte se déchirera en elle» ; et Aquila : «L'esprit de l'Égypte mollira dans ses entrailles». Lorsque cet esprit «se brisera et sera bouleversé» devant le progrès des églises, que les Égyptiens formeront des desseins pervers, «moi, le Seigneur», dit-il, «je disperserai leur propos». Eux, ne sachant que faire, suivront leur ancienne coutume de se tourner vers ceux qu'ils croient des dieux pour en obtenir oracles et prophéties sur les faits qui les troublent. Aussi est-il dit : «Ils interrogeront leur dieux et leurs statues, les voix qui sortent de terre et les ventriloques.» Et comme rien de tout cela ne leur apparaîtra plus de la manière habituelle, ils tomberont dans un extrême désarroi.

(19, 4) Voilà donc ce qu'éprouveront les habitants des diverses régions, mais soudain, dit l'oracle, c'est «toute

---

3. Νόμος «loi», repris par «νόμιμα, «légalisme», fait jeu de mots avec νομός «nome».
4. Cette proposition (génitif absolu avec ὡς) viendrait mieux après l'autre génitif absolu συγχέοντος de la l. 10. Le καί qui précède ce συγχέοντος manque dans C, suivi par Migne ; je le supprimerais volontiers.

l'Égypte qui sera livrée aux mains de maîtres durs, et des rois durs les domineront ». Ici j'estime indiqué le temps de la réalisation des prophéties ; car on annonce un changement dans le royaume d'Égypte à l'époque de la venue du Seigneur dans le pays. Et qui ne serait stupéfait en comparant l'époque du message de salut et celle du renversement prédit de la royauté égyptienne, en sorte que dès lors et jusqu'aujourd'hui leurs maîtres précédents, j'entends les Ptolémées, ne règnent plus sur eux, et que les Romains se sont avérés leurs seigneurs. A la place de : « des maîtres durs », Aquila dit : « Un roi puissant aura l'autorité sur eux » ; Symmaque : « Un roi fort aura l'autorité sur eux » ; Théodotion : « Un roi fort dominera sur eux. » Et l'on dirait qu'il s'agit de celui qui à l'époque de la naissance du Sauveur régnait sur l'empire Romain ; alors en effet Auguste, prince vraiment puissant et fort, a le premier soumis l'Égypte à Rome, mettant fin à la dynastie des Ptolémées qui de longtemps régnait sur elle ; et les empereurs romains ses successeurs, vraiment « puissants » et « forts » ou même « durs » d'après les Septante, ont asservi les nations égyptiennes ; leurs mandataires au cours des temps, les chefs de leurs armées, avaient traité plus durement l'Égypte ; aussi est-il dit à leur sujet : « Je livrerai l'Égypte aux mains de maîtres durs », et selon les autres interprètes « durs » aussi ont été nommés ceux-là, je veux dire les chefs qui détenaient une part d'autorité.

6. *Comparaison de ces textes*

Le plus ancien, celui des *Eclogae propheticae* (IV 10), distingue déjà une Égypte « physique » et une Égypte « allégorique ». La première ne peut être le séjour du Dieu inengendré, mais seulement celui du Logos enfant ; « allégoriquement », l'Égypte est aussi la vie présente, où le fait arriver son premier avènement. Et toute la suite de la prophétie ne s'explique que par la « tropologie » (189, 23-24 Gaisford ; *PG* 24, 216 a).

Le premier des trois textes de la *Démonstration évangélique* (VI 20) fait, au paragraphe 6, une distinction semblable : c'est le Logos qui, « selon le sens et selon la lettre », κατὰ διάνοιαν καὶ πρὸς λέξιν (286, 6-7 H.), séjourne sur la terre d'Égypte. L'« épaisseur légère », — traduction de l'hébreu plus exacte que la « nuée légère », — désigne le corps qu'il a reçu du Saint-Esprit. La suite (surtout le paragraphe 9) explique le séjour du Christ par le besoin particulier de l'Égypte, pays « superstitieux entre tous ». Au paragraphe 13, l'« erreur polythéiste », selon l'expression chère à Eusèbe, devient l'occasion de luttes fratricides, par la conversion des uns et l'obstination des autres. Les paragraphes 14-21 commentent 19, 3-4, en appliquant ces versets à la fin de la dynastie ptolémaïque lors de la conquête romaine. Le paragraphe 22 annonce une étude plus poussée.

Le second texte de la *DE* — le court chapitre VIII 5 — renvoie pour le détail à l'exposé précédent. Il rappelle le miracle qu'a été en Égypte l'abandon de l'« antique erreur polythéiste », — encore elle ! — et établit *a contrario* (ou *ab absurdo*) que si les transformations décrites n'ont pas eu lieu, c'est l'Incarnation elle-même qu'il faut nier (paragraphes 3-4) ; la phrase, d'un beau mouvement, rappelle le serment imaginaire d'apôtres imposteurs sur leur maître (*DE* III 4, 38-5, 73)[5].

Le troisième texte (IX 2) part de l'erreur polythéiste pour montrer dans le peuple égyptien l'ennemi héréditaire du peuple de Dieu (paragraphes 1-2) ; son renoncement à la superstition ancestrale prouve que le Seigneur est venu dans ce pays (paragraphe 4). Le monde terrestre peut s'entendre allégoriquement (paragraphe 5). Nouvelle promesse d'un exposé plus ample (paragraphe 6).

Quand Eusèbe écrit le *Commentaire sur Isaïe*, il a derrière lui un ensemble d'œuvres à la fois apologétiques et exégétiques. Procède-t-il aujourd'hui différemment ? Il note la présence « historique » du Verbe en Égypte, pour la distinguer de l'omniprésence divine, et attribue à un « sens plus profond » la convenance de cet avènement en faveur d'un peuple « superstitieux entre tous ». L'« erreur démoniaque » n'est pas ici qualifiée de « polythéiste ». Voilà pour le commentaire du v. 1. Celui des vv. 2-3 insiste sur la querelle intestine qui divisera l'Égypte : thème repris de VI 20, 13, et rapproché de la parole du Seigneur qu'« il n'apportera pas la paix mais le glaive » (Mt 10, 34). Ici

---

5. Où D.S. Wallace-Hadrill voit « une splendide *reductio ad absurdum* » (*Eusebius*, p. 97 ; résumé p. 98) ; cf. J. SIRINELLI, *Les vues...*, p. 384, n. 5.

Eusèbe précise plus qu'ailleurs les nuances qui séparent les diverses traductions grecques.

II. ISAÏE, 35, 1-7

1. *Eclogae propheticae*, IV 16 (p. 195, 5-196, 19 Gaisford ; *PG* 22, 1220 d-1221 b)

« Réjouis-toi, désert altéré ; qu'exulte la lande, qu'elle fleurisse comme le narcisse ; (2) elles fleuriront et exulteront, les solitudes du Jourdain ; la gloire du Liban lui a été donnée, avec la splendeur du Carmel. Et mon peuple verra la gloire du Seigneur et la grandeur de Dieu. (3) Reprenez force, mains défaillantes et genoux chancelants ; (4) encouragez, pusillanimes, votre cœur ; reprenez force, ne craignez pas ; voici que votre Dieu apporte ses représailles, il les apportera ; il viendra et nous sauvera. (5) Alors se dessilleront les yeux des aveugles, et les oreilles des sourds s'ouvriront ; (6) alors le boiteux bondira comme un cerf, et clair parlera la langue des bègues ; car des eaux auront jailli au désert, et un torrent dans la steppe ; (7) le sol aride deviendra un étang, et au pays de la soif viendront des eaux jaillissantes. »

Il prédit les guérisons miraculeuses qui se produiront lors de la venue de Dieu. Manifestement, ici encore, le Christ de Dieu est honoré du nom de Dieu, lui à la venue de qui, même corporellement, les guérisons prédites se sont réalisées en faveur des patients, et maintenant encore, plus merveilleusement, elles s'accomplissent par la foi en lui, quand tout le genre humain sans exception est libéré des maladies de l'âme. A la venue du Christ, l'eau a jailli dans le désert, et un torrent au pays de la soif, quand le breuvage d'eau vivante a fait irruption dans ce qui était autrefois désert et terre assoiffée, l'Église des nations, où, alors qu'elle était auparavant sans eau et altérée, soudain a ruisselé la source des paroles de Jésus, eau vive qui jaillit pour la vie éternelle ; cette source l'abreuvera, dit l'oracle, et fera fleurir comme le narcisse l'ancien désert, invité à se réjouir et à exulter ; il ajoute la cause de la joie et de l'exultation, puisque, dit-il, lui a été donnée « la splendeur du Liban », c'est-à-dire de Jérusalem, dont on disait dans les prophéties précédentes que le Liban aussi tomberait avec ses hauteurs ; après sa chute, la splendeur qui lui appartenait jadis a été donnée au désert, maintenant évangélisé, c'est-à-dire à l'Église des nations, avec la gloire passée dudit Carmel, autant dire du peuple antérieur. Cela s'est réalisé clairement dans les faits après la venue du Christ, conformément à la prophétie actuelle et à la parole de Notre Sauveur : que le royaume de Dieu sera enlevé et donné à une nation qui produise ses fruits.

2. *Démonstration évangélique* VI 21 (p. 289, 18-290, 34 Heikel).

(Paragraphe 1 : texte d'Isaïe 35, 1-7).

2 Ici encore est prédite expressément l'arrivée de Dieu, cause de salut et de biens nombreux ; ainsi est prophétisée pour les sourds la guérison, pour les aveugles la vue recouvrée, en outre pour les boiteux et les bègues une cure, toutes choses qui se sont réalisées seulement par la venue de Notre Sauveur Jésus Christ, qui a ouvert les yeux des aveugles et rendu l'ouïe aux sourds 3 (sans parler de tous ceux, infirmes, sourds, boiteux, qui par les mains de ses disciples ont retrouvé leurs forces naturelles) ; des milliers d'autres, affligés de maladies et de langueurs diverses, ont obtenu de lui cure et santé, selon l'annonce inspirée de la prophétie et le témoignage si véridique des saints évangiles. 4 Par « désert », l'oracle entend ici l'Église venue des nations, qui jadis déserte de Dieu reçoit l'évangélisation en question ; c'est à ce désert qu'en plus des autres privilèges, dit l'oracle, sera donnée « la splendeur du Liban ». 5 Or le Liban a coutume de désigner allégoriquement Jérusalem, comme nous le prouverons le moment venu par les arguments tirés de la divine Écriture. Ainsi donc, que lors de la venue de Dieu parmi les hommes ledit désert, je veux dire l'Église des nations, sera doté de la splendeur du Liban », voilà ce qu'enseigne la prophétie actuelle. Mais au lieu de l'« honneur du Carmel », Aquila dit : « distinction du Carmel et du Saron : ils verront la gloire du Seigneur » ; 6 Symmaque, lui : « dignité du Carmel et de la plaine : ils verront la gloire du Seigneur » ; et Théodotion : « beauté du Carmel et de Saron : ils verront la gloire du Seigneur ».

En quoi, j'imagine, le prophète laisse entendre que ce n'est pas Jérusalem ou la Judée, mais la terre des nations qui sera favorisée de la connaissance religieuse ; car le Carmel et la contrée dite Saron étaient des régions de nations étrangères. 7 Voilà pour la lettre ; et selon le sens voici que jusqu'aujourd'hui les esprits aveuglés au point d'adorer à la place du Dieu de l'univers des bois, des pierres, toute la matière inanimée, des démons terrestres, des esprits mauvais, ainsi que les sourds spirituels, les titubants, les infirmes chroniques, se voient délivrés de tous ces maux, de leurs autres souffrances et faiblesses par l'enseignement de Notre Sauveur Jésus Christ, maintenant encore, obtenant une guérison et des avantages bien supérieurs à ceux du corps, et manifestant clairement la force divine et surhumaine de la venue parmi les hommes du Verbe divin.

. *Démonstration évangélique* IX 6 (p. 416, 24-418, 9 Heikel).

(Paragraphes 1-2 : texte d'*Isaïe*, 35, 1-7).

3 Tout cela s'accomplissait de manière éclatante par les œuvres miraculeuses de Notre Sauveur, après la prédication de Jean. Vois donc comment il évangélise le désert, non absolument ni un désert quelconque, mais, précisément et exclusivement, celui qui longe le Jourdain, 4 puisque c'était sur les bords de ce fleuve que Jean baptisait, comme l'Écriture en témoigne quand elle dit : « Jean part dans le désert, où il baptisait. Et vers lui allaient tout le pays de Judée et tous les habitants de Jérusalem, et ils se faisaient baptiser par lui dans le Jourdain. » 5 Pour moi, le désert contient le symbole de la terre jadis déserte de tous les biens de Dieu, je veux dire l'Église des nations ; le fleuve qui dans le désert purifie tous ceux qui s'y baignent est l'image d'une purification considérée selon le sens, celle dont parlent les Écritures quand elles disent : « L'élan impétueux du fleuve réjouit la cité de Dieu. »

6 Cela signifie l'afflux incessant du divin Esprit qui sourd d'en haut et arrose la cité de Dieu (étant appelée ainsi la vie selon Dieu). Donc le fleuve de Dieu est descendu jusqu'au désert, à savoir l'Église des nations, à laquelle, maintenant encore, il procure ses flots vivifiants.

La prophétie ajoute qu'au désert en question seront

données « la splendeur du Liban et la gloire du Carmel ».
7 Mais qu'est-ce que « la splendeur du Liban », sinon le
culte qui s'accomplissait par des sacrifices selon la loi de
Moïse et que Dieu rejette par la prophétie qui dit : « Que
m'apportez-vous l'encens de Saba », et « que me fait la
multitude de vos sacrifices », pour transférer au désert du
Jourdain la splendeur de Jérusalem, puisque la conduite
pieuse n'a pas commencé de s'observer à Jérusalem mais au
désert, à partir du temps de Jean. 8 De même « la gloire »
de la loi et des rites qui s'exécutaient physiquement selon
ses prescriptions a été donnée au désert susnommé à cause
de la rémission des péchés qui s'y prêchait. 9 Et, à mon
avis, c'est la présence de Notre Sauveur au baptême
qu'indique « mon peuple verra la gloire du Seigneur et la
grandeur de Dieu ». Car alors aussi est apparue la gloire de
Notre Sauveur, quand « une fois baptisé il remonta de
l'eau, que les cieux s'ouvrirent, qu'il vit l'Esprit de Dieu
descendre comme une colombe et reposer sur lui » ; quand
aussi une voix se fit entendre du haut du ciel, qui disait :
« Celui-ci est mon Fils bien-aimé, en qui j'ai mis mon bon
plaisir. » 10 Mais encore quiconque se présente légitime-
ment au mystère purificateur, instruit de la théologie au
Christ, celui-là contemplera sa gloire et pourra dire comme
Paul : « Même si nous avons connu le Christ selon la chair,
maintenant du moins nous ne le connaissons plus ainsi. »

4. *Démonstration évangélique* IX 13 (p. 431, 19-434, 9 Heikel).

(Paragraphe 1 : texte d'Isaïe, 35, 3-6).

2 Cette prophétie également se voit réalisée dans les
Évangiles, d'abord quand à Notre Sauveur et Seigneur on
apportait « un paralytique couché sur son lit », que d'une
parole il rendit à la santé ; puis quand par milliers aveugles,
possédés, victimes de maladies et d'infirmités diverses
étaient par sa puissance salvatrice délivrés de leurs
souffrances ; 3 ce n'est pas tout : aujourd'hui encore, par
le monde entier, des multitudes innombrables, enchaînées
par toutes les formes du vice et l'âme pleine de l'ignorance
du Dieu souverain, miraculeusement et au-delà de tout
discours sont, par les remèdes de son enseignement,
soignées et guéries. Et qu'en ces occasions il a été proclamé

Dieu pour son action si opportune, déjà auparavant les témoignages de sa divinité nous l'ont démontré. 4 C'est maintenant, plus que partout ailleurs, qu'il convenait de le reconnaître pour Dieu, quand se manifestent les œuvres d'une vertu divine et vraiment inspirée ; car Dieu seul, à l'exclusion de tout autre, pouvait fortifier des infirmes, ressusciter des morts, accorder la santé aux malades, ouvrir les yeux des aveugles et guérir de même les oreilles des sourds, redresser les boiteux, délier la langue des bègues : toutes choses opérées par Notre Sauveur Jésus Christ comme par un Dieu, et dont témoignage a été rendu par le plus grand nombre de ceux qui à travers le monde l'ont prêché. 5 La vérité sans feinte de leur témoignage est confirmée par l'épreuve des tortures et la constance jusqu'à la mort qu'ils ont montrée devant les rois, les magistrats, les gouverneurs des nations entières, attestant ainsi la vérité de ce qu'ils prêchaient. 6 A ceux-là, selon moi, à ses évangélistes et apôtres, l'esprit prophétique dictait ce qui commence à « Reprenez force, mains défaillantes et genoux chancelants » ; comme en effet leurs mains, leur force pour agir, leurs pieds, leur marche s'étaient relâchés au cours d'une longue période de culte selon la loi de Moïse, le prophète les excite à vivre selon l'Évangile, en disant : « Reprenez force, mains défaillantes et genoux chancelants », évidemment pour les préparer à courir selon l'Évangile. 7 Et « reprenez force » aussi pour en exhorter d'autres et les presser de s'attacher au salut évangélique, « vous qui auparavant étiez pusillanimes » ; et ne vous laissez pas effrayer par ceux qui du dehors s'opposent à la prédication de l'Évangile ; contre ceux-là aussi « reprenez force », sans « avoir peur ». 8 Car c'était Dieu et le Verbe de Dieu, non pas quelqu'un qui approchât de Moïse ou ressemblât aux prophètes, qui non seulement opérait ces miracles surprenants mais encore produisait en nous cette force.

9 La preuve la plus claire de la puissance inspirée de Notre Sauveur prédit par les prophètes, — par laquelle, en toute vérité, il a d'une parole guéri autrefois boiteux, aveugles, lépreux, infirmes, selon les Écritures qui parlent de lui —, ce serait la vertu que maintenant encore sa divinité met en œuvre à travers le monde, par laquelle on voit, d'après les faits, quel il était alors pour ceux qui

pouvaient le contempler, puisqu'après si longtemps il
s'avère irrésistible, invincible, le vrai Verbe de Dieu
annoncé par Dieu même, supérieur à tous ceux qui dès
l'origine et jusqu'aujourd'hui attaquent son enseignement,
lui qui de tout l'univers attire à lui des multitudes
innombrables, délivre ceux qui viennent à lui de tout
péché, des maux et maladies de l'âme, qui appelle à sa
sainte doctrine toutes les races d'Hellènes ou de barbares,
qui amène une infinité d'hommes à la connaissance du seul
vrai Dieu et à la vie saine et sage, seule convenable à qui
s'engage au culte du Dieu suprême.

10 Mais ce Dieu lui-même, notre Dieu, en sa personne
de Verbe de Dieu, « apporte, dit-il, et apportera ses
représailles » ; « il viendra et nous sauvera ». En effet, selon
le psaume qui dit : « O Dieu, donne au roi ton jugement »,
et selon l'enseignement de l'Évangile, où il est dit : « Le
Père ne juge personne, mais il a remis tout jugement au
Fils », lui qui a reçu du Père le pouvoir de juger et juge avec
justice, il a infligé au peuple de la circoncision le juste
châtiment des forfaits osés contre lui et ses prophètes, et il
a sauvé également et équitablement tous les hommes sans
exception qui venaient à lui, en ouvrant les oreilles de leur
cœur et leurs yeux. 11 Aussi le Logos divin appelle-t-il le
temps de sa venue un temps de représailles, quand il dit
ailleurs : « proclamer une année favorable du Seigneur et
un jour de représailles ». 12 Or ce temps de représailles,
c'était celui où « tout sang répandu, depuis le sang d'Abel
jusqu'au sang de Zacharie » et au sang précieux de Jésus
lui-même, a été réclamé à la génération de ceux qui ont
péché contre lui, si bien que dès lors les attendaient la
dernière ruine et le dernier siège. 13 Ainsi, le jugement
porté à leur époque leur a valu ces effrayantes représailles ;
c'est pourquoi le prophète dit : « Voici que notre Dieu
apporte et apportera ses représailles. » Quant au jugement
de ceux qui sont sauvés par lui, il apparaît ensuite dans la
phrase « il viendra et nous sauvera ; alors s'ouvrirent les
yeux des aveugles et les oreilles des sourds entendront », et
la suite. 14 Ce jugement sauveur, une autre prophétie
encore promet que le Christ le prononcera, quand elle dit :
« Voici mon serviteur que je soutiendrai, mon élu, qui a
toute ma faveur ; il prononcera jugement sur les nations. »
15 C'est pourquoi aussi il est dit du Verbe du Nouveau
Testament : « De Sion sortira la loi, et la parole du

Seigneur, de Jérusalem ; et il jugera entre les nations. » Car c'est vraisemblablement par un jugement divin et des paroles pour nous indicibles qu'il fera l'appel de ceux qui se tourneront vers lui. Et c'est parce qu'il nous enseigne son divin jugement et nous forme à tout faire judicieusement, qu'il est dit de lui qu'il « prononcera jugement sur les nations ».

5. *Histoire ecclésiastique*, X 4.

Après la citation, au paragraphe 32, d'*Is.* 35, 1-4 et 6-7, les paragraphes 34, 36 et 47 reprennent la plupart des expressions en les appliquant à l'église de Tyr, rebâtie par son évêque Paulin, dans le panégyrique adressé à celui-ci.

6. *Commentaire sur Isaïe*, 35, 1-7 (pp. 227-229 Ziegler ; *PG*, 24, 337 d-341 b)

C'est donc ce désert qu'annonce la prophétie de notre texte après avoir auparavant parlé des cerfs, quand elle dit : « Réjouis-toi, désert altéré » ; et la suite de la même prophétie revient longuement sur ce désert, en ces termes : « Réjouis-toi, stérile, toi qui n'enfantes pas ; éclate en cris de joie, acclame, toi qui ne connais pas les douleurs ; car plus nombreux sont les fils de la délaissée que les fils de celle qui a son mari. » Il y aurait donc là un autre désert à côté de la Sion mentionnée plus haut, dont il était dit que l'habiteraient hérissons, ibis, corbeaux, satyres et onocentaures, que ses ravins se rempliraient de poix et de soufre. Après ce passage sur Sion et Jérusalem, il faut penser que le texte concerne un autre désert. Celui-ci, c'est la brousse des « cerfs » et la région des nations étrangères, où (après que) le Seigneur a distribué leurs lots aux « cerfs » en question, l'oracle annonce la bonne nouvelle : « Réjouis-toi, désert altéré ; que la lande exulte et fleurisse comme un lis » ; car auparavant cette terre était un « désert altéré », privé des eaux du ciel ; mais l'oracle lui ordonne de se réjouir dans l'allégresse, à cause de ce qui vient ensuite, et même de fleurir comme un lis, en sorte de dire : « Nous sommes en tout lieu la bonne odeur du Christ. »

Mais il dit encore que fleuriront de nouveaux bourgeons et de belles fleurs, comme il est dit dans le Cantique des Cantiques : « Les fleurs sont apparues sur la terre », « les mandragores ont donné leur parfum ». De quel désert il parle, c'est ce qu'il explique en disant : « Ils exulteront, les déserts du Jourdain », rejoignant ici l'Écriture évangélique ; car c'est sur les bords du Jourdain que Jean commença le premier à prêcher le royaume des cieux, et comme le culte observé selon la loi de Moïse ne se célébrait plus à Jérusalem, le même prophète dispensait dans les eaux mêmes du Jourdain un « baptême de pénitence » et le « bain de la régénération » ; lorsque Notre Sauveur et Seigneur Jésus, le Christ de Dieu, scella la prédication de Jean en se faisant baptiser par lui dans le Jourdain et confirma de son autorité le mystère de la régénération. Et cette terre longtemps déserte, aride, stérile, je veux dire l'Église de Dieu (était fertilisée) par la purification du « bain de la régénération » (que Jean) administrait (aux bords) du Jourdain, quand tout ensemble il baptisait et annonçait le royaume de Dieu. C'est ce qu'observe par toute la terre l'Église de Dieu jadis déserte. Aussi l'oracle l'exhorte-t-il à se réjouir, à exulter, à fleurir comme un lis odorant. Or, même dans ce qui précédait, le Liban signifiait le sanctuaire et le temple où s'offraient les sacrifices liturgiques, précisément avec l'encens *(libanos)*, et le culte légal ; quant au Carmel, on a plusieurs fois montré qu'il représentait le peuple de la circoncision. Ce sont donc la gloire de l'ancien temple et la splendeur du temple de Jérusalem qui seraient, d'après le prophète, données à l'ancien désert, je veux dire l'Église des nations. Après quoi il ajoute : « Et mon peuple », — non pas Israël, mais, il le dit, « mon peuple », — « verra la splendeur du Seigneur », puisque telle est la promesse que l'oracle fait au peuple nouveau pour avoir accueilli la première venue du Christ. Aussi verra-t-il sa seconde apparition en gloire, et il contemplera sa grandeur.

(3-4) Dans la suite, il évangélise ceux qui par l'éclat du Sauveur seront délivrés des maux de l'âme, quand il dit : « Reprenez force, mains défaillantes et genoux chancelants ; encouragez, pusillanimes, votre cœur » ; et selon Symmaque : « Reprenez force, mains défaillantes et genoux débiles » ; fortifiez-vous, dites aux insensés : « Soyez forts, ne craignez pas. » Voisines et semblables sont les interprétations d'Aquila et de Théodotion, quand l'oracle invite les disciples et les apôtres de Notre Sauveur à « fortifier » les âmes « chancelantes » des nations et à revigorer les genoux des malades ; il invite également à exhorter les anciens « pusillanimes » par ce « reprenez force, ne craignez pas » ; même si certains vous persécutent, en vous menaçant, en cherchant à vous effrayer, en vous infligeant ignominies et tortures, vous qui jadis étiez « pusillanimes », dit-il, armez-vous de vigueur et de force pour ne pas craindre, puisque vous avez votre Dieu constamment à vos côtés. C'est pourquoi, d'après Symmaque, « ne craignez pas ; voici que votre Dieu viendra, en revendicateur de représailles ; le Seigneur lui-même viendra et vous sauvera ». Ainsi formés, « vous qui jadis étiez pusillanimes, reprenez force, ne craignez pas ».

(5-6) Après ces prédictions et cette claire annonce de la venue de Dieu, l'oracle apporte des signes et des marques des succès divins, quand il dit ensuite : « Alors s'ouvriront les yeux des aveugles, et les oreilles des sourds entendront ; alors le boiteux bondira comme un cerf et se déliera la langue des bègues. » Voilà ce qui s'accomplissait maintenant après la venue de Notre Sauveur Jésus Christ, au temps de laquelle chacun de ces événements se réalisait, lorsque par la force de sa puissance divine il guérissait « toute maladie et toute langueur » des corps et soignait les maux non des corps seulement mais aussi des âmes, par la parole de son enseignement. En fait, aujourd'hui encore, par toute la terre, dans tous les pays, alors que beaucoup, par cécité et aveuglement spirituels, adoraient comme des dieux des statues inanimées et inertes, sa lumière vient éclairer l'œil de leur âme et ils retrouvent la vue, au point de bafouer la superstition ancestrale et de ne reconnaître qu'un seul vrai Dieu. De même les sourds, jadis fermés aux paroles divines, s'ouvrent maintenant par sa grâce à la perception des oracles inspirés ; mieux encore, ceux dont l'âme chancelait bondissent comme des « cerfs » en se rendant semblables aux maîtres de sa doctrine, eux qu'un peu plus haut la prophétie appelait des « cerfs ». Et la langue des bègues, que Satan avait enchaînée pour l'empêcher de louer le vrai Dieu, apprend le langage clair et articulé. Par « bègues » tu n'aurais pas tort d'entendre ceux des sages de ce monde qui jadis osaient à peine penser ou parler correctement de Dieu.

Par-dessus tout cela, lors de la théophanie prédite, « l'eau a jailli, dit-il, de l'ancien désert », où est apparue une source d'eau vivifiante ; un « ravin » a été découvert, avec, selon Symmaque, des torrents, des ruisseaux, dans une terre altérée. Cette eau, c'était celle du Jourdain, dont il était dit un peu plus haut qu'« exulteraient les déserts du Jourdain », par allusion au « bain de la régénération » et au mystère du N.T., tandis que les ruisseaux signifient les paroles évangéliques du Sauveur.

(7) En outre, le désert en question a vu « exulter des oiseaux, gîter des troupeaux », évidemment quand des âmes ailées et transportées dans les hauteurs, ou d'autres apprivoisées et douces, sont régies par un bon berger, de façon à pouvoir dire : « Le Seigneur est mon berger, et rien ne me manquera. » Plus haut il était dit que dans Sion déserte habiteraient ibis, hérissons, corbeaux, onocentaures et satyres ; mais au désert de notre texte ce sont autant de biens qu'annonce l'oracle. De l'autre désert on disait qu'il serait rempli de poix, de soufre et de feu ; le nôtre le sera d'eau de source, de ruisseaux, de torrents.

7. *Comparaison de ces textes*

Les éléments de la comparaison sont les mêmes que pour Isaïe 19, 1-4 : un chapitre des *Eclogae propheticae*, trois de la *Démonstration évangélique*, trois pages du *Commentaire* ; il faut ajouter quelques paragraphes de l'*Histoire ecclésiastique*.

Des deux thèmes que retiennent les *Eclogae*, guérisons et Église des nations, le premier revient dans trois des textes postérieurs (*DE* VI 21, 2-3 ; IX 13, 2-4 et 9 ; Comm. sur 19, 5-6) ; aux guérisons corporelles se joignent les miracles spirituels de conversion. Seul le second des extraits de la *DE* (IX 6) n'en parle pas ; il ne s'attache qu'à la prédication et au baptême de Jean, non sans mentionner (paragraphe 5) que le désert symbolise l'Église des nations, second thème des *Eclogae*. (Dans l'*HE* le désert qui refleurit est l'église de Tyr.)

Ce second thème, l'Église des nations, n'apparaît qu'indirectement dans le troisième extrait de la *DE* (IX 13), où le paragraphe 9 évoque les « multitudes innombrables » que de tout l'univers le

Verbe attire à lui, les « races d'Hellènes et de barbares » qu'il appelle à sa doctrine, l'« infinité d'hommes » qu'il « amène à la connaissance du seul vrai Dieu ». La fin du même chapitre IX 13 commente les représailles que, chez Isaïe, le Messie apporte avec le salut. Ici vient l'expression étudiée ci-dessus dans la section intitulée « l'audace juive » (p. 127-128) : les forfaits « osés » (τετολμημένων) contre le Christ et ses prophètes (paragraphe 10, p. 433, 19-20 Heikel).

Le *Commentaire* reprend naturellement toutes les interprétations antérieures ; il insiste sur le « désert altéré » du v. 1, sur les « mains défaillantes » et les « genoux chancelants » du v. 3, sur les « bègues » du v. 6, avec application nouvelle aux « sages de ce monde qui jadis osaient à peine penser ou parler correctement de Dieu ».

III. Isaïe, 7, 14

1. *Eclogae propheticae* IV 4 (pp. 177-178 Gaisford ; *PG* 22, 1201 d-1204 c)

(Texte d'Isaïe 7, 10-15).

Que ceux de la circoncision qui n'admettent pas la venue de notre Sauveur Jésus Christ disent quelle est la vierge qui selon la prophétie concevra en son sein et enfantera le fils nommé Emmanuel ; s'ils prétendent que dans l'hébreu il n'est pas écrit « vierge » mais « jeune femme », nous dirons qu'ils n'étaient pas les premiers venus, ceux qui les premiers interprétèrent l'Écriture selon l'économie divine : ils étaient au nombre de soixante-dix, choisis pour leur mérite dans tout le peuple et d'une sagesse éprouvée et non médiocre parmi leurs contemporains ; et quel signe extraordinaire l'oracle promettait-il en prédisant qu'il serait donné à la maison de David comme un prodige, s'il s'agissait d'une simple jeune femme ? Mais en admettant avec eux que l'hébreu porte « jeune femme », rien ne nous empêche de penser que le texte s'applique à une vierge ; en fait, tu trouverais dans le *Lévitique* que la vierge reconnue telle et mariée à un homme mais violée par un autre, est appelée jeune femme par l'Écriture ; ainsi conviendrait-il qu'à la maison de David, en raison de son incrédulité, le Seigneur donne pour signe qu'une vierge enfantera contre toute attente, en suite de quoi l'enfant à naître sera proclamé admirable, si vraiment dès son enfance, et pour ainsi dire dès sa naissance, on prophétise qu'il se refusera au mal et choisira le bien. Son nom aussi est prédit d'une manière admirable : « Emmanuel », c'est-à-dire « Dieu avec nous » ; c'est ce que nous pouvons affirmer, nous qui le confessons et avons conscience de son arrivée divine et ineffable par sa puissance parmi tous les hommes ; on le dirait encore « Emmanuel, Dieu avec nous » si le Père et Dieu de l'univers est au-dessus non seulement de la nature mortelle mais même de toute la nature raisonnable ; si le Fils est à propos nommé « Dieu avec nous » en raison de sa venue jusqu'à nous.

(La chronologie, dit ensuite Eusèbe, interdit de rapporter la prophétie au fils d'Achaz, Ezéchias).

2. *Démonstration évangélique*, citations et allusions

a) II 3, 88 (p. 77, 8 Heikel), « voici que la vierge concevra en son sein et enfantera un fils », cité dans un développement sur le temps de la venue du Sauveur, à propos de 7, 21-22.

b) II 3, 98 (p. 78, 32 H.), à propos surtout de l'« enfant » d'Is. 10, 19, qui « inscrira le petit reste » des vv. 20-21, commentés chez Eusèbe aux paragraphes suivants, parfois dans un sens eschatologique.

c) III 2, 51 (p. 104, 11 H.), dans un commentaire d'Isaïe 53.

d) Les deux premiers chapitres du l. VII contiennent une douzaine d'allusions et de citations ; l'accent porte tantôt sur la virginité de la mère, tantôt sur le nom de l'enfant.

En VII 1, il s'agit des signes annonciateurs de la venue du Sauveur. L'un d'eux est la naissance virginale, τὴν... ἐκ παρθένου γένεσιν (VII 1, 12 ; p. 299, 29 H.) ; cf. VII 1, 19 (301, 16) ἐξ ἀπειρογάμου παρθένου ; VII 1, 26 (302, 27) τὴν... ἐκ παρθένου γέννησιν ; VII 1, 36 (304, 31) ἐκ παρθένου γεννώμενον ; VII 1, 89 (314, 15) γένεσις ἐκ παρθένου.

La citation de tout le verset en VII 1, 30 (303, 26-29) inclut, par conséquent, le « Dieu avec nous », qui portera l'accent aux endroits suivants :

VII 1, 37-41, cinq paragraphes où ὁ μεθ' ἡμῶν θεός alterne avec « Emmanuel » au cours de la p. 305 H. : paragraphe 37 (305, 4) Ἐμμανουήλ ; paragraphe 38 (305, 11-12) ὁ... θεός ; paragraphe 40 (305, 16-17) ὁ... θεός ; paragraphe 41 (305, 29-30) Ἐμμανουήλ ...τοῦ... μεθ' ἡμῶν θεοῦ.

VII 1, 43-53. Ὁ... θεός et Ἐμμανουήλ alternent encore : paragraphe 43 (306, 11-12) τοῦ.. θεοῦ ; paragraphe 45 (306, 17) Ἐμμανουήλ ; paragraphe 48 (307, 4) τὸν... θεόν ; paragraphe 51 (307, 20) τὸν Ἐμμανουήλ ; paragraphe 53 (307, 31) τοῦ Ἐμμανουήλ.

VII 1, 96 (316, 21) παρθένος, ἡ τὸν μεθ' ἡμῶν θεὸν τίκτειν λεγομένη combine les deux thèmes de la naissance virginale et du nom. De même VII 1, 120 (321, 13-14). Mais VII 1, 121 (321, 16-17) ne reprend que le second.

En VII 2, le paragraphe 2 (328, 10-11) unit à nouveau Ἐμμανουήλ et ἐκ τῆς παρθένου γεννώμενος ; un peu plus loin (VII 2, 4 ; 328, 27) revient seulement l'Emmanuel. Enfin VII 2, 16 (330, 28-30), il s'agit de « celle qui dans les prophéties précédentes était appelée vierge et prophétesse et qui enfantera l'Emmanuel ».

3. *Commentaire,* pp. 48-50 Ziegler

Le Commentaire distingue dans la prophétie ce qui concerne la « maison de David » à l'époque du prophète et ce qui s'appliquera à la naissance du Messie. Dans l'étude de ce passage (p. 114), nous avons vu Eusèbe insister sur l'emploi du singulier καλέσεις au lieu du pluriel καλέσουσιν.

Il mérite une traduction complète ; la voici pour les pp. 48, 14-49, 28 et 50, 3-4 Ziegler.

... Il vous donnera le signe salutaire même malgré vous. Qu'est donc ce signe ? Un prodige inouï apparaîtra un jour parmi les hommes, un signe qui de toute éternité n'a jamais été entendu : « Une vierge concevra sans s'unir à un homme et elle enfantera » un Dieu, sauveur du genre humain ; et ce Dieu qui doit naître ainsi, Dieu nous le donne désormais comme signe salutaire. Ce signe s'étendra en profondeur et en hauteur : en profondeur, par sa descente jusqu'au sheol ; en hauteur, par sa remontée aux cieux.

Ainsi donc, maison de David, désormais, quand tu rencontreras l'ennemi du moment, invoque-le en l'appelant Emmanuel, ce qui, en vertu de l'interprétation du mot, procure la force ; car le nom signifie « Dieu avec nous ». Aie donc courage, par ta foi en ce signe, et n'invoque plus les dieux de Damas, ne te donne pas les dieux qui ne peuvent te secourir, mais appelle Emmanuel, comme le Dieu qui un jour se joindra aux hommes, avec l'audace d'une confiance totale et la foi en la vertu du nom. Arrivés à ce point, il faut considérer avec quelle exactitude la prophétie enjoint à la maison de David d'appeler Emmanuel l'enfant qui naîtra de la Vierge, quand elle dit : « Tu lui donneras le nom d'Emmanuel ». Car c'est toi, maison de David, toi maintenant présente au prophète et qui entends ces paroles, qui appelleras Emmanuel l'enfant prophétisé ; comme si, plus clairement, il était dit : « Invoque-le comme ton Sauveur, constamment, en nommant souvent Emmanuel et en l'invoquant comme le Dieu qui est avec toi. Car si, même longtemps après, la Vierge doit concevoir cet enfant et le mettre au monde, quand la prophétie trouvera son accomplissement, quand apparaîtra un sauveur de tout le genre humain, au milieu duquel il portera un autre nom synonyme de salut, dès maintenant, maison de David, reçois du Seigneur un gage favorable et invoque-le du nom d'Emmanuel ; car si tu crois et te fies au message, cette invocation te vaudra le salut.

Si cependant il avait été dit : « ils lui donneront le nom d'Emmanuel », toute la prophétie aurait semblé tournée vers l'avenir ; et la proposition serait ambiguë, puisque ce n'est pas « Emmanuel » mais « Jésus » qu'a été appelé notre Sauveur né de la Vierge selon la prophétie de l'ange à Joseph : « Ne crains pas de prendre chez toi Marie ton épouse ; car ce qui a été engendré en elle est de par l'Esprit Saint. Elle enfantera un fils, et tu l'appelleras du nom de Jésus ; car c'est lui qui sauvera son peuple de ses péchés. » Si donc c'est le nom de Jésus et non celui d'Emmanuel qui a été donné à notre Sauveur né de la Vierge selon la prophétie, comment l'oracle aurait-il respecté la vérité en disant : « Ils lui donneront le nom d'Emmanuel ? » Aussi n'est-ce pas ce qui a été dit ; car il ne devait pas recevoir ce nom de tous les hommes, mais la parole prophétique porte exactement : «Et tu l'appelleras.» Toi donc, maison de David, qui es l'occasion de la prophétie, prends ce gage de salut lors de la rencontre des ennemis, pour l'appeler «Emmanuel» et lui attribuer ta libération de l'ennemi, lui qui un jour naîtra de la Vierge mais qui dès maintenant est Dieu et avec nous, et qui désormais t'accordera les plus grandes grâces de salut, si, avec foi en l'ordre divin, tu l'appelles constamment à ton secours en le nommant Emmanuel. Car c'est un charme comme celui-là qu'il te faut pour ne pas attendre le secours des démons mais invoquer seulement Emmanuel et être sauvée par lui... Faute de le reconnaître, certains ont lu dans l'évangile de Matthieu, au lieu de «tu l'appelleras», «et ils l'appelleront», alors que telle n'est la teneur de la prophétie : la forme hébraïque et d'après elle tous les traducteurs donnent «et tu l'appelleras»...

Invoque-le donc, lui qui, dit l'Écriture, n'est pas loin de nous mais constamment présent et attaché à ceux qui l'invoquent.

4. *Comparaison des textes*

La brièveté de ces divers textes ne prête pas à longues confrontations. Dès les *Eclogae propheticae*, Eusèbe était conscient de la difficulté inhérente à la condition de cette «vierge» qui, à l'époque d'Achaz, était en réalité une «jeune femme». L'exégèse moderne en est restée là. Outre la note d'Osty *ad locum,* citons seulement quelques lignes de J. Mc Hugh, *La Mère de Jésus dans le Nouveau Testament* («Lectio divina» 90, Paris, 1977, pp. 325-326) : «Il est hors de conteste... que le mot employé en Is. 7, 14, 'almah, désigne seulement une jeune fille en âge d'être mariée et ne met pas l'accent sur sa virginité supposée. En fait, il s'applique en Gn 34, 3 à une jeune femme, Dina, qui n'était plus vierge[6].»

---

6. Cf. H. GESE *ap.* A.M. DUBARLE, in *Revue biblique,* 85, 1978, p. 371, n. 16.

IV. Isaïe, 53, 7-8a

1. *Eclogae propheticae,* IV 27 (p. 217, 25-28 et 222, 8-11 Gaisford ; *PG* 22, 1244 a 12-b 2 et 1248 c 5-8)

(Texte d'Isaïe 52, 10-12 ; 53, 1-12 ; 54, 1).

> ... Comme un mouton qu'on mène à l'abattoir, il n'ouvre pas la bouche ; par un jugement inique, il a été emporté, et qui racontera sa génération ?

Notre verset et demi n'est pas commenté pour lui-même.

2. *DE* ·a) Le verset 7 y est cité dix fois.

Deux fois d'abord en I 10, à propos des sacrifices : I 10, 15 (p. 45, 27 H.) ; I 20, 21 (p. 46, 30 H.).

Deux fois en III 2, la première fois au milieu de toute la péricope 3 b-8 : III 2, 56 (p. 105, 2) ; puis III 2, 70 (p. 107, 8).

IV 16, 39 (p. 191, 17).

IX 4, 4 (p. 412, 18).

X prooemium, 3 et 4 (p. 445, 14 et 27), parmi d'autres textes sur l'Agneau ; puis au chapitre 8, commentaire du psaume 21 déjà examiné au l. II : X 8, 32 (p. 476, 30) et 36 (p. 477, 21) : le Christ abandonné par son Père, selon l'enseignement, ici rappelé, de saint Paul (Phil. 2, 8 ; Rom. 8, 32).

b) *Cinq citations de 53, 8 a*

La « génération » que les LXX ont imposée à l'exégèse gréco-latine (au lieu de « destin ») amène certains rapprochements avec des textes sur les relations du Père et du Fils, comme Mt 11, 27, cité deux fois à ce propos. C'est le cas de IV 3, 13 (p. 154, 21), et, moins nettement, de IV 15, 53 (p. 181, 31) ; V 1, 14 (212, 22) ; V 1, 18 (213, 8) ; V 1, 25 (214, 26).

3. *Commentaire sur Isaïe*, pp. 336-337 Ziegler

Le *Commentaire* n'est guère plus explicite que les *Eclogae ;* il signale les variantes de Symmaque pour le v. 7, puis celles des trois traducteurs pour 8 a, et résume en deux lignes la « merveille d'une telle constance, quand on pense que c'est le Fils unique de Dieu qui a souffert tout cela » (p. 336, 32-337, 1).

4. *Comparaison de ces textes*

Leur brièveté ne permet guère de confrontation. Pourquoi, alors, isoler les versets 7-8 a, ceux que déjà les *Actes* (8, 32-33) faisaient lire sans les comprendre à l'eunuque éthiopien ? C'est qu'ils sont au centre et résument l'essentiel de ce chapitre 53, qui, avec les premiers versets du IVᵉ évangile, revient constamment chez Eusèbe. Ainsi D.S. Wallace-Hadrill concluait-il son chapitre sur « L'interprétation du texte biblique » (p. 72-99). « Eusèbe, écrit-il, a toujours mis l'accent sur le Verbe incarné de Dieu vivant comme un homme parmi les hommes... Il a reconnu de bonne heure que le centre de toute la pensée chrétienne est l'Incarnation du Verbe[7]. »

V. Isaïe, 61, 1-2 (-3 a)

1. *Eclogae propheticae* IV 31 (p. 228, 22-231, 7 Gaisford ; *PG* 22, 1253 d-1257 a)

Dans les *Eclogae propheticae,* Eusèbe insiste sur la libération de la captivité où « le Nabuchodonosor spirituel » tenait les âmes (1255 b 2-4) et sur l'huile d'allégresse que sera pour elles la participation au royaume des cieux (1255 d 5-6). C'est dans un contexte semblable (comme l'indique déjà le titre du chapitre : « le Sauveur a libéré le genre humain de l'erreur démoniaque ») que la *Préparation évangélique* (IV 21, 2) cite Is. 61, 1, puis 42, 7.

2. La *Démonstration évangélique* cite plusieurs fois 61, 1-2, totalement ou en partie, et toujours dans un contexte de libération ou d'illumination.

— 1-2 a : IX 10, 1 (426, 21-24 H.) ;
— 1 b, 2 b (et 3 a) : IV 17, 13 (198, 6-8 H.) ;

---

7. D.S. Wallace-Hadrill, *Eusebius of Caesarea,* pp. 98-99.

— 1 seul : III 1, 1 (94, 18-20 H.) ; IV 15, 28 (177, 34-35) ;
IV 15, 30-31 (178, 2-3, 5-6) ; IV 16, 49 (193, 23-25) ; V 2, 6 (217,
33-34) ; VI 18, 12 (276, 23-25) ; VIII 2, 42 (374, 4).

— 2 seul : IX 13, 11 (433, 24-25).

3. Le *Commentaire sur Isaïe* se réduisait dans la *PG* (24,
497 b) au texte d'*Is*. 61, 1 ; Migne passait ensuite au chapitre 62.
L'édition Ziegler est beaucoup plus riche. Eusèbe y voit dans le
v. 1 la preuve que le Christ était bien Dieu et homme (p. 378,
36-379, 4 Z.) et, dans la suite, la réalisation des béatitudes
évangéliques en faveur des affligés (379, 32-380, 15).

Voici la traduction du nouveau texte :

> (51) Celui qui dans la péricope précédente, après les
> promesses évangéliques, avait dit à la fin de son discours :
> « Moi, le Seigneur, au temps voulu je les rassemblerai », le
> continue bien quand dans le présent texte il s'écrie :
> « L'esprit du Seigneur est sur moi, parce qu'il m'a oint. »
> Puis, comment il exécute ce rassemblement, c'est ce qu'il
> enseigne par la suite. Mais comment celui qui dit : « Moi, le
> Seigneur, au temps voulu je les rassemblerai » a-t-il ajouté,
> comme s'il différait de celui qui venait de parler : « L'esprit
> du Seigneur est sur moi, parce qu'il m'a oint ? » C'est ce qui
> sera clair pour ceux qui ne voient dans le Christ ni un
> homme seulement, ni un Logos sans chair, sans corps, sans
> aucune participation à la nature humaine, mais le disent à
> la fois Dieu et homme : Dieu en tant qu'il est « un Dieu Fils
> unique qui est dans le sein du Père », homme en tant qu'on
> le conçoit « issu selon la chair de la lignée de David ». Ainsi
> donc le Dieu Verbe, appelé Seigneur dans la prophétie,
> ajoute à ses autres promesses celle-ci encore : « Moi, le
> Seigneur, au temps voulu je les rassemblerai. »
> Ensuite, comment présente-t-il et introduit-il l'homme
> qu'il a assumé en lui faisant dire : « L'esprit du Seigneur est
> sur moi, parce qu'il m'a oint ? » Mais plusieurs fois déjà on
> a montré comment s'est reposé sur le rejeton de Jessé
> l'esprit de Dieu, un esprit de sagesse et d'intelligence, un
> esprit de conseil et de vaillance, un esprit de science et de
> piété. C'est pourquoi, évidemment, l'évangile de Luc
> rapporte à Notre Sauveur et Seigneur Jésus-Christ l'accom-
> plissement de la prophétie en lui, quand « il vint à Nazareth

où il avait été élevé... » (*Lc* 4, 16-22). Et si tu remarques le
temps indiqué par « aujourd'hui cette Écriture s'est
accomplie », tu trouveras qu'à cette même époque, après
son baptême dans le Jourdain, l'Esprit-Saint descendit sous
la forme d'une colombe et « demeura sur lui ». Ensuite « il
fut conduit au désert pour y être tenté par le diable » ; après
quoi, étant venu à Nazareth, il lut la prophétie susdite.
D'où l'addition exacte : « Aujourd'hui cette prophétie s'est
accomplie à vos oreilles » ; car c'est à cette époque précise
où « l'Esprit-Saint descendit sur lui sous la forme d'une
colombe » que s'accomplissait la prophétie qui lui faisait
dire : « L'esprit du Seigneur est sur moi, parce qu'il m'a
oint » ; il n'est pas dit, en effet, « oint » d'une onction
physique comme les anciens : il n'aurait rien qui le
distinguât s'il était oint comme les autres hommes.

En fait, oint par l'Esprit-Saint, le Christ apparaît
distingué de tous et Fils unique de Dieu. Et ces mots, « il
m'a envoyé apporter aux hommes la bonne nouvelle »,
s'accomplissaient à l'époque où, prêchant le royaume de
Dieu, il proclamait à ses disciples les béatitudes : « Bienheureux les pauvres en esprit, parce que le royaume des
cieux est à eux » ; quand il pansait les cœurs en les
guérissant par ces promesses : « Bienheureux les endeuil-
lés, parce qu'ils seront consolés », « bienheureux ceux qui
pleurent, parce qu'ils riront ». Déjà, aux nations dont l'âme
était tenue captive par les ennemis invisibles et spirituels, il
annonçait l'élargissement grâce à ses disciples, qu'il
exhortait ainsi : « Allez, enseignez toutes les nations, les
baptisant au nom du Père, du Fils et du Saint-Esprit » ; en
quoi il procurait la rémission des fautes antérieures. Ainsi
encore, donc, il annonçait aux captifs l'élargissement ; aux
aveugles que leur cécité asservissait à l'erreur polythéiste il
annonçait qu'ils retrouveraient la vue ; il proclamait une
année favorable du Seigneur, dont il faisait sa propre année
pendant le temps qu'il passait avec les hommes pour
procurer des jours de lumière à qui l'abordait. Mais
peut-être signifiait-il le siècle futur qui devait suivre la
consommation du nôtre, quand il disait : « proclamer une
année favorable du Seigneur et un jour de revanche de
notre Dieu », ou, selon les autres traducteurs : « une année
de bon plaisir » ; car le temps et le siècle qui plaît au
Seigneur serait précisément le même siècle, le jour de

revanche ; alors, en effet, il rendra leur rétribution à ceux qui ont souffert dans la vie présente.

On aura remarqué vers la fin (380, 7 Zie.), la mention, familière à Eusèbe, de l'«erreur polythéiste»[8].

4. *Comparaison de ces textes*

Elle a été faite en grande partie par Ant. Weber dans sa thèse de l'Université grégorienne : *ARXH. Ein Beitrag zur Christologie des Eusebius von Caesarea*, Rome, 1964 (183 pages). L'auteur analyse les divers textes de la *Démonstration évangélique ;* il ne pouvait connaître le *Commentaire sur Isaïe* édité par J. Ziegler. Dans une section intitulée «Gottes Salbung (*chrîsma*)», pp. 59-69, il rapproche, à la suite d'Eusèbe, les quatre textes *Ex* 25, 40 ; *Ps.* 49, 7-8 ; *Ps.* 109, 4 ; *Is.* 61, 1. L'onction est pour le Fils un «commencement», une *arkhè ;* elle «vient d'une génération antérieure aux siècles, mais non pas nécessaire ni strictement éternelle»[9]. Quant à l'originalité d'Eusèbe dans sa description du Christ comme Roi, prêtre et prophète (*Hist. eccl.* I 3 ; *DE* IV 15), elle n'est pas totale non plus : Eusèbe continue une longue tradition, représentée entre autres par le *Dialogue* de Justin et la *Démonstration* d'Irénée[10].

---

8. Ci-dessus. p. 92, n. 12 ; p. 99, n. 18 ; pp. 126-127.

9. A. ORBE, *La Uncion del Verbo* (*Estudios Valentinianos* III), Rome, 1961, p. 582.

10. Per BESKOW, *Rex gloriae. The Kingship of Christ in the Early Church*, Uppsala, 1962, p. 119 ; cf. p. 262.

GAUCHISSEMENTS
AU BÉNÉFICE D'UNE THÈSE

A propos des citations du Nouveau Testament dans la *Préparation évangélique,* nous avons noté, avec J. Sirinelli, la façon dont Eusèbe « gauchit au besoin la pensée des auteurs »[1]. Il s'agissait de citations, en I 3, 5-6, des deux épîtres aux Corinthiens et de la *Prima Petri,* destinées à établir le caractère apodictique du message chrétien. Eusèbe a toujours eu le plus grand souci de cet aspect rationnel du christianisme, propre à lui valoir l'audience des élites. J. Sirinelli insiste là-dessus dès l'Introduction générale de la *Préparation :* « Eusèbe songe à attirer au christianisme les païens cultivés, que rebute surtout, dans la religion nouvelle, le caractère irrationnel et péremptoire des croyances et des enseignements. C'est... à ceux-là qu'Eusèbe adresse ses exhortations préliminaires, quand il insiste d'une part sur la rationalité de la démonstration qu'il présente, et qu'il envisage, d'autre part, la foi des simples. C'est seulement à des païens cultivés et circonspects qu'Eusèbe pouvait dire en substance : bien sûr, nous avons recours aussi à l'argument de la foi quand il s'agit de la masse ; mais, après tout, c'est un argument que l'univers entier a utilisé et utilise. Cette défense n'a de sens qu'à l'égard de païens et d'hommes instruits, auprès de qui on cherche à susciter un sentiment de solidarité »[2]. Même intention en I 4, 13 : « Écarter tout le genre humain... de la

---

1. Cf. J. Sɪʀɪɴᴇʟʟɪ, ap. *Prép. év.,* livre I (S.C. 206), 1974, pp. 236-237 ; et voir ci-dessus p. 152.
2. Iᴅ., *ibid.,* pp. 37-38.

bestialité monstrueuse et le préparer à recevoir les croyances philosophiques » ; ce que le commentateur paraphrase ainsi : « Le christianisme ne saurait être une religion irrationnelle, puisque précisément il arrache l'humanité à l'aveuglement pour la hausser aux conceptions philosophiques... Il est en lui-même un facteur de promotion philosophique[3]. »

Même souci de rationalité encore au début du livre VII (1, 2, 1-2) : « C'est pour des motifs non pas irréfléchis mais sagement pesés (οὐκ ἀλόγῳ, κεκριμένῳ δὲ καὶ σώφρονι λογισμῷ) que nous avons abandonné la théologie mensongère... » ; le « sain raisonnement » (σώφρων λογισμός) revient en II 4, 1, 6 et au titre de VII η′, précédé d'εὐλόγῳ κρίσει. Voici des expressions similaires : εὐλόγως (I 1, 13, 2 ; I 3, 1, 1 ; titres de III ζ′ et VII α′ ; XIII 2, 2) ; « en bonne logique », λογικώτερον (I 5, 2, 7 ; XII 49, 15) ; cf. τὸ εὔλογον (II 4, 4, 4 et II 4, 6, 4) ; « pour de bonnes raisons », εἰκότως (II 4, 1, 1) ; « une connaissance rationnelle », λογικῇ θεωρίᾳ (VII 3, 2, 2-3).

Au chapitre IV de l'Introduction au livre I, J. Sirinelli fait, à la suite d'Eusèbe (I 5, 10-13), « l'histoire de l'erreur païenne », la planè, si souvent dénoncée et dont nous avons relevé tant d'exemples. Ici encore, l'objectivité n'est que relative ; mais Eusèbe, « historien de la religion païenne, a tenu à donner un tableau historique et géographique de l'erreur des païens »[4] ; il distingue nettement les étapes successives, tout en insistant sur la continuité qui lie le polythéisme phénicien ou égyptien et celui des Grecs.

---

3. ID., *ibid.*, p. 256.
4. ID., *ibid.*, p. 86.

DIVERSES MANIÈRES
D'AMENER UNE CITATION

1. Pour confronter un texte biblique et une citation profane, Eusèbe se contente parfois de rapprocher les deux textes, avec une exégèse réduite au minimum. C'est souvent le cas au l. XII, dans les comparaisons entre l'Écriture et Platon. Ainsi, au chapitre 19, intitulé « qu'à l'instar des Hébreux Platon voyait dans l'ici-bas une image du divin », un verset de l'épître aux Hébreux (8, 5), qui lui-même cite l'Exode (25, 40), amène la page de la *République* où le législateur-philosophe se voit invité à contempler le modèle divin. Les courts chapitres 34-42 du même livre XII « se passent de commentaires ».

2. Il y a plus subtil. En XII 14, le tableau de l'Éden où l'homme converse avec les animaux, résumé d'après la Genèse au paragraphe 1, s'élargit au paragraphe 2 dans la description du *Politique* (272 b 9-d 5). En XII 15, l'esquisse du « déluge » chez Moïse au paragraphe 1 prépare l'« archéologie » du IIIᵉ livre des *Lois* (677 a 1-c 8) aux paragraphes 2-5.

Ce procédé n'était pas inconnu des auteurs du Nouveau Testament. Dans la Iʳᵉ épître de Pierre, la mention, en 1, 23, du « verbe de Dieu » qui fait renaître les croyants amène, au v. 24, la citation d'Isaïe 40, 6-8, presque identique chez Jacques, 1, 10-11. En 2, 4-8, la « théologie de la pierre » remplit deux groupes de versets qui offrent un parallélisme de dépendance : 4-5 et 6-7 (+ 9) ; la formulation du premier groupe dépend du second, qu'il interprète : le commentaire de 4-5 explique par avance les textes qui forment le « *lithos*-complex » (6-8) et le « *laos*-complex »

(9-10)[1]. En 2, 21-25, l'exemple du Christ souffrant (v. 21) se développe en citations d'Isaïe 53 (le serviteur de Yahvé), qui forment une sorte d'hymne[2].

3. En V 18, 2-4, Eusèbe commente par avance l'extrait d'Oenomaüs reproduit au chapitre suivant (19, 1-3) et précise le nombre des victimes réclamées par Apollon en réparation du meurtre d'Androgée.

4. La citation peut commencer librement avant de devenir littérale ; parfois elle s'amorce hors du mètre, et le texte poétique commence après le début du vers. C'est le cas d'*Odyssée* 17, 485, dont la citation en XIII 3, 25 commence à θεοί, sans le trochée initial καί τε. Immédiatement après, au même paragraphe 25, celle d'Eschyle (fr. 335, v. 17 Mette) commence bien au début du vers, mais celui-ci suppose deux mots du précédent, dont l'αἶσιν explique le datif παισί, qui s'accorde avec lui, et l'ἀγείρω, l'ἀγείρουσαν de Platon[3]. C'est Platon, en effet, qui cite le fragment au l. II de la *République* (381 d 8).

5. Eusèbe s'approprie par anticipation des expressions qui reviendront dans leur contexte. Le παραλύειν στρεβλοῦντας de XIV 4, 14 (II 267, 15 Mras) annonce le παραλύοντες, τὰ δὲ στρεβλοῦντες de Numénius (XIV 5, 1 ; fr. 24, p. 62, l. 11 de mon édition), « éliminant (certaines idées), en torturant d'autres ».

---

1. Cf. J. H. ELLIOTT, *The Elect and the Holy,* Leyde, 1966, pp. 20-21 ; et voir mon cours *ad usum privatum auditorum, La première épître de saint Pierre,* Rome, 1971, pp. 24-28.

2. Même cours, pp. 33-34.

3. Cf. H. LLOYD-JONES, Appendice à l'*Aeschylus* de la Loeb Classical Library, II², 1957, pp. 568-569.

CONCLUSION

Moins original que l'historien ou l'apologiste, le commenta·
teur, chez Eusèbe, méritait, semble-t-il, une enquête spéciale.
Parmi les Pères grecs des IIIe et IVe siècles, aucun ne connaît
davantage les philosophes, en particulier Platon et Porphyre. Si,
pour l'exégèse biblique il reste tributaire d'Origène dans une
mesure que nous apprécierions mieux si l'œuvre de son devancier
nous était parvenue plus largement, il a marqué, à son tour, ceux
qui l'ont suivi, Jérôme surtout et bien d'autres. C'est ainsi que
pourrait dépendre de lui le commentaire de Didyme l'Aveugle
sur Zacharie. A propos de l'édition des Sources chrétiennes,
J. Daniélou observait : « Eusèbe n'a pas, que nous sachions, écrit
un commentaire de Zacharie. Mais dans la *Démonstration
évangélique* il en commente longuement de nombreux passages :
II, 8-11 ; III, 1-8 ; VI, 9-13 ; IX, 9-10 ; XI, 1-3, 7-14 ; XII, 2-3,
10-14 ; XIV, 1-10, 16-19. Or la comparaison montre que Didyme
dépend d'Eusèbe. Ainsi pour Zach., III, 1-8[1]. »

Eusèbe commentait-il la Bible dans sa prédication ? L'évêque
de Césarée n'aurait fait en cela que se conformer à l'usage de ses
contemporains, dont les commentaires scripturaires prennent si
souvent la forme d'homélies. J. Sirinelli, dont j'ai beaucoup
utilisé les thèses (*Les vues historiques d'Eusèbe,* le commentaire
du livre Ier de la *Préparation évangélique*), le note avec raison :
« (En I 3, 4, 4-5) Eusèbe lie les commentaires de l'Écriture et les
homélies qui sont comme des commentaires de détail. Les
Commentaires d'Eusèbe, mais aussi les *Eclogae* et la *Démonstration* elle-même donnent souvent l'impression d'être formées par

---

1. J. Daniélou, in *Recherches de science religieuse,* 51, 1963, p. 160, recension
de Didyme l'Aveugle, *Sur Zacharie,* éd. L. Doutreleau (*S C* 83-85), 1962.

les homélies d'Eusèbe rassemblées autour de quelques grandes têtes de chapitre[2] ».

Il a fallu étudier séparément le commentateur de l'Ancien Testament et celui du Nouveau. Mais pour lui l'Écriture forme un tout. Le sens qu'il a de son unité la lui fait expliquer par elle-même[3], le fait aussi passer avec quelque profusion et d'une manière parfois artificielle d'un texte à l'autre[4]. Il n'exagère jamais l'allégorisation de l'Ancien Testament et se tient à mi-chemin entre l'exégèse d'Alexandrie et celle d'Antioche, de même que Césarée était à mi-distance des deux villes[5].

2. J. SIRINELLI, ap. *La Prép. év.*, livre I (*S C* 206), 1974, p. 235.
3. Cf. D. S. WALLACE-HADRILL, *Eusebius of Caesarea,* Londres, 1960, p. 93 et n. 1.
4. ID., *ibid.,* pp. 93 et 95.
5. ID., *ibid.,* p. 96 ; et cf. J. GUILLET, « Les exégèses d'Alexandrie et d'Antioche. Conflit ou malentendu ? » (*Rech. de sc. rel.,* 34, 1947, pp. 257-302), où il n'est d'ailleurs question d'Eusèbe que tout à fait incidemment (p. 261 et n. 18).

INDEX

PRINCIPAUX TEXTES TRADUITS OU COMMENTÉS

MOTS GRECS

NOTIONS

Achevé d'imprimer en avril 1982
sur les presses de l'imprimerie Laballery et Cie
58500 Clamecy
Dépôt légal : avril 1982
Numéro d'imprimeur : 19952

THÉOLOGIE HISTORIQUE

H. Bremond, L. Canet, E. Le Roy. *Dossiers de correspondance* (1905-1916). Préface de Mgr POUPARD.

34. — D. DIDEBERG. Augustin et la Iʳᵉ Épître de saint Jean. *Une théologie de l'agapè*. Préface d'ANNE-MARIE LA BONNARDIÈRE.

35. — C. KANNENGIESSER *éd.* Jean Chrysostome et Augustin. *Actes du Colloque de Chantilly*, 22-24 septembre 1974.

36. — P. LEVILLAIN. La mécanique politique de Vatican II. *La majorité et l'unanimité dans un concile*. Préface de RENÉ RÉMOND.

37. — B.-D. BERGER. Le drame liturgique de Pâques. *Théâtre et Liturgie*. Préface de PIERRE JOUNEL.

38. — J.-M. GARRIGUES. Maxime le Confesseur. *La charité, avenir divin de l'homme*. Préface de M.J. LE GUILLOU.

39. — J. LEDIT. Marie dans la Liturgie de Byzance. Préface de Mgr A. MARTIN, Évêque de Nicolet.

40. — A. FAIVRE. Naissance d'une hiérarchie. *Les premières étapes du cursus clérical*.

41. — P. GISEL. Vérité et Histoire. *La théologie dans la modernité*. Ernst Käsemann.

42. — P. CANIVET. Le monachisme syrien selon Théodoret de Cyr.

43. — J. R. VILLALON. Sacrements dans l'Esprit. *Existence humaine et théologie sacramentelle*.

44. — C. BRESSOLETTE. L'Abbé Maret. *Le combat d'un théologien pour une démocratie chrétienne* (1830-1851).

45. — J. COURVOISIER. De la Réforme au Protestantisme. *Essai d'ecclésiologie réformée*.

46. — G. F. CHESNUT. The First Christian Histories. *Eusebius, Socrates, Sozomen, Theodoret and Evagrius*.

47. — M. H. SMITH III. And Taking Bread. *The development of the Azyme Controversy*.

48. — J. FONTAINE et M. PERRIN. Lactance et son temps. *Actes du IVᵉ Colloque d'Études historiques et patristiques*. Chantilly 21-23 septembre 1976.

49. — J. DECHANET. Guillaume de Saint-Thierry. *Aux sources d'une pensée*.